実《じつ》事《じ》求《きゅう》是《ぜ》

楊道金
Yang Daojin

幻冬舎MC

実事求是

目次

はじめに

“ご出身はどちらの国ですか？”
“中国から来ました”
“なるほどね”

(一)

“中国では、コロナ対策に違反して外出する人は拘束されます。そのため、中国では都市封鎖ができ、ゼロコロナ対策を実行することができます”

“うちの大学で、教室の前方に座り、一生懸命勉強している学生はほとんど中国人留学生です。彼らはなぜそんなに勉強熱心なのですか？　彼らは全員中国共産党のスパイですから!!”

“中国のスパイはロシアと違って、目的がなく、選別をせずあらゆる情報をとりあえず海外から盗み、中国国内で盗んだ情報から有用な情報を選別します。だから、中国スパイはより脅威的で、対応が難しいのです”

2019年に香港暴動が起きたら、「中国第二の天安門事件になるだろう」と予想したり。

長江流域に洪水が発生したら、「三峡ダムは崩壊する」と予想したり。

経済成長率が少し落ちたら、「中国経済の成長はもう終焉した」と予想したり。

つまり、中国に何かあったら、定番の「もうすぐ中国経済は衰退する」「もうすぐ中国社会や中国政府は崩壊する」という予想がなされます……。

これらの論調は、日本の世論をコントロールし、日本人の心理的優越感を維持したいだけでしょうか？

このような世論操作は、中国のイメージを傷つけるだけで、中国に対する実質的な損害は少ないでしょう。しかし、この世論操作の延長線上に、ファーウェイ問題が浮上しました。

2019年、「ファーウェイが日本の情報を盗んで、中国共産党に情報を提供するリスクがある」という理由で、日本でのファーウェイの通信機器の販売と使用を事実上禁止になりました。捏造に近いこの考え方は、NHKをはじめとするメディアや政治家、民間人などに堂々と広がりました。日本社会の真実と自由のなさに驚き、日本の世論操作の恐ろしさも感じました。今日本にいる、中国人としての自分も、いつか日本の情報を盗み、中国共産党にその情報を提供し、日本人の殺害に協力する恐れがあるとして、処罰されるのでしょうか。情報漏えいの可能性は、ファーウェイだけではなくどの通信機器会社にもありえます。しかし、ファーウェイは中国の「一民間企業」ですから、日本の通信会社がファーウェイと契約するとき、日本政府は日本の通信会社と中国のファーウェイ双方に対して、意図的な情報漏えいがないように要求することができます。もしファーウェイが顧客の情報を意図的に漏えいしたら、莫大な罰金と厳しい罰則を課せば良いでしょう。そして、ファーウェイが信用できないことを証拠を示して証明できたら、世界中でファーウェイと取引する会社や国はなくなり、会社

も倒産するでしょう。ファーウェイが今まで顧客の情報を盗んだ証拠はどこにも存在しませんでしたし、今後も会社の存続のため勝手に情報を盗むこともないでしょう。更に、日本政府は情報漏えいを防止するために、いくつかの技術的な対策を講じることもできるでしょう。それでも、なぜ日本は事実上ファーウェイの通信機器の販売と使用を禁止したのでしょうか。主な理由は、中国経済の持続的な成長が日本の脅威だと考え、今後の中国経済の更なる成長を阻止したいからでしょう。近年、中国経済は資本と労働力の増大による成長が限界に近づき、今後の更なる持続的な成長のため、技術進歩による成長にシフトしています。中国経済の持続的な成長を阻止するため、何としても中国の技術進歩を潰したいという本音があるのでしょう。一言でいうと、中国を敵国と見なす今までの世論操作での中国崩壊論の失敗に気づき、今後は具体的な経済制裁で中国経済の持続的な成長を真剣に阻止したいのでしょう。

勿論、中国に対するこのような経済対策と制裁は日本の内政の問題であり、自由です。同様に、中国にも同じ自由があります。日本が事実上のファーウェイ禁止の政策を取ると、いつか中国も公然と日本を敵国と見なし、同等かそれ以上の反撃措置を取るでしょう。20世紀後半の日米貿易摩擦で、日本の技術、特にIT技術の進化の芽は米国に潰されたため、1995年から2020年までの25年間、日本の１人当たり名目GDPは4万ドル台で停滞しています。敵国と見なす日本が今まで懸命に維持している4万ドル台の１人当たり名目GDPを3万ドル台、更に2万ドル台に減少させるため、中国は近い将来、日本経済を厳しく制裁するでしょう。

例えば、中国の基幹産業であるIT産業に対する日本の制裁措置への報復として、中国はいつか日本の基幹産業である自動車産業を潰すため、巨大な中国市場で日本の車が1台も売れないように、今から官民それぞれで計画しているでしょう。今の中国は、日本の自動車産業を制裁する経済力が足りません。今後十年くらいかけて、日本の自動車産業を制裁できるように、中国では官民両方から着々と準備しています。制裁を発動するため、中国は日本がファーウェイを制裁した時と同じような理由で良いでしょう。例えば、中国市場から得た利益が日本の軍事産業の資本になり、あるいは日本の自動車産業に使われている技術が軍事産業に転用可能だったり、あるいは日本の自動車産業に部品を提供している会社が同時に軍事産業にも提供しているなどの理由で、日本の自動車産業が中国にとって安全保障上、大きな問題だと主張できます。このように、ファーウェイ制裁の理由と似たものがいくらでもあるでしょう。極端にいうと、相手国を敵国と見なせば、相手国の農民ですら制裁対象にすることができるでしょう。なぜなら、農民は敵国の軍隊に食料を提供していますから。ですから、21世紀には、自国の安全を過大評価してはならず、安易に相手国を敵国と見なしてはいけません。自国の安全と相手国の安全は同じくらい重要なことで、国同士の安全保障問題は対話で解決すべきでしょう。自国の安全を極端に追求すると、相手国を潰すしかなくなってしまいます。

日本のファーウェイ制裁への反撃として、日本の自動車産業を中国市場から完全に追放するため、今後、中国国内の自動車産業をもっと発展させ、ドイツや韓国などの自動車産業に対して中国

市場を更に開放し、日本車への規制措置が中国経済に与える悪影響を最小限に抑え、中国は今着々と準備し、時期が来たら経済制裁を発動するでしょう。

このような中国の報復措置が発動する時期は、恐らく、約10年後の2032年頃、中国経済が世界一になって、より外国経済に左右されにくくなった時でしょう。

日中両国はこのように、互いに相手を敵国と位置づけ、相手の不利益のことばかり考えて行動します。日本車を規制する中国の措置に対抗するため、日本も更に中国に経済制裁を課すでしょう。そして、中国もまた対抗措置を取ります。このまま進めば、日中両国の経済貿易と人的交流がゼロになり、最終的に、両国は自国の安全と利益のため、もう戦争でしか決着をつけることができなくなり、再び悲劇になるでしょう。

このように、経済的理由により日中間の戦争のリスクが増大しています。日中両国の世論操作ではこれが加速していることも見てとれます。日本の調査では、「中国が嫌い」と答える日本人は80%以上にも上ります。「日本が嫌い」と答える中国人も同じくらいと考えても良いでしょう。日中が再び戦争に突入する世論環境が互いの国内で作られています。両国の国民とも、互いに被害妄想で、何でこんなに気持ち悪い国が自国の隣にいるのだろうかと考えるようになるでしょう。今後、両国共に、戦争で解決しようと考えていく人がどんどん増えていくでしょう。

しかし、互いに相手国を敵国と思い、戦争を準備することが日中両国にとって本当に必要でしょうか。本当にこれは自国の利益と幸せになるのでしょうか。ファーウェイを含む中国のIT産業

は本来、停滞している日本のIT産業の発展のためにもっと役に立つべきでしょう。日本の自動車産業は今までの中国経済の工業化と発展に多大に貢献してきましたし、今後ももっと貢献すべきでしょう。そして、ファーウェイも日本の自動車産業も相手に利益をもたらすと共に、更に発展できるでしょう。日中両国は互いに相手国を好きになる必要はないかもしれませんが、嫌いになる必要は絶対にありません。戦争を回避する、あるいは、戦争する必要が全くないと思えるようになるため、私たちは何をするべきでしょうか。

(二)

こんなに厳しい日中関係の現実と将来に対して、どうすれば良いでしょうか。

微力ながら、本書は、まず、私が知る中国の真実を日本人に紹介することで、中国の真実を日本人に知ってほしいと思っています。中国に関する嘘をなくし、真実を知ることで、日中両国の健全な関係の構築に役に立つ可能性が生まれるかもしれません。

日本に来てから、中国の見方と全く異なる日本の見方を知り、新鮮で面白いと考え、益々中国の社会、経済、政治の真相を追求したいと思いました。

日本人は中国に対する考え方が独特ですが、それは人としての自由でしょう。しかし、人それぞれの考え方は自由ですが、この考え方の自由は「真実」に基づいていなければなりません。そうでなければ、ただの臆病、偏見、知識不足としか思われません。日本を含む西側諸国には表現の自由があるとされていますが、私

はコントロール・捏造されている自由にすぎないと感じています。

本書は、中国の過去の経済、政治、社会の真実を紹介し、この真実に基づく検証可能な2050年までの経済予想モデルを提示し、そしてこの経済予想モデルが実現した上での中国の政治と社会の変化も予想し、最後に中国の国際関係を予想したいと思います。

(三)

2019年の世界銀行による分類では、発展途上国と先進国の境界線は1人当たりGNIでいうと12376ドルです。2019年の中国の1人当たり名目GDPは約10153ドルで、実質経済成長率は6.27%です。中国のGDPとGNIはほぼ一致していると見なします。近い将来、戦争が起きる可能性を除くと、中国は遅くとも2023年頃に先進国の仲間入りをすると予想されます。2012年の私の修士論文である「中国経済の成長持続性についての一考察－産業高度化と格差是正を中心として－」の中で、中国の1人当たり名目GDPは2011年の5583ドルから、7%の年平均成長率で12年間持続的に成長し、2023年に先進国の仲間入りをすると予想しました。この予想はほぼ的中しています。修士論文を書く時、日本では「中国崩壊論」が盛んに議論されていました。例えば、格差拡大により中国社会は不安定になり、最終的に崩壊する、あるいは、深刻な環境問題や知的所有権の保護の問題、または少子高齢化の問題で、中国経済の成長は持続できず、最終的にいつか崩壊するなど、日本で中国の情報を調べれば調べるほど、中国経済の持続的な発展について、日本の資料がほぼ悲観的な見方をしていることに気づきました。当時私自身も、論文を書きながら、

中国は本当に先進国の仲間入りができるのかと動揺しました。第二次世界大戦後の世界の秩序で、数少ない国だけが「中所得の罠」を乗り越え、先進国の仲間入りをしました。メキシコ、フィリピンなどの中南米と東南アジアの国々には一度は高度成長の波が来ましたが、やがて「中所得の罠」に落ち、先進国への仲間入りは実現しませんでした。この疑問に悩みながら、祖国に対する期待と中国人としての中国問題に対する独自のセンスで、修士論文では中国の先進国への仲間入りは実現可能だと結論づけました。

それから、10年が経ちました。2022年か2023年には、中国は確実に「発展途上国」を卒業し、先進国の仲間入りを果たすでしょう。では、その後はどうなるでしょうか？　中国の少子高齢化は2011年より更に進みました。多額な投資による経済成長も今度こそ本当に限界に近づいています。激しい米中経済戦争で、中国の今後の輸出の増加は更に難しくなるでしょう。そして、米中ハイテク経済戦争により、米国はファーウェイなどの中国のハイテク産業を制裁し、中国の更なる発展の芽を潰し、中国経済の高度化を阻止しています。

これらの困難に直面している中国はどこに向かっていくのでしょうか。

一方、困難が大きければ大きいほど、得る成功も大きくなります。巨大な困難を乗り越えてこそ、中国経済の真の強さを証明できます。「一人っ子政策」を止め、少子化問題に真剣に取り組みます。格差問題を是正し、共同富裕を目指し、現代中国の建国理念である共産主義社会の実現のため、少しずつ慎重に進みます。米中ハイテク経済戦争が不可避ならば、弱者である中国は客観的に自ら

の弱さと米国の強さを認識し、国際ルールと正義に立って、正しい戦術と戦略で、この戦いを乗り越えます。

今後の中国は、経済、社会、政治、価値観などあらゆる分野を検証し、改革し、そして発展させていくでしょう。

経済規模が増大すると共に、中国は経済・政治・価値観などのあらゆる分野で、世界中の国々と正々堂々と交流し、あるいは衝突するかもしれません。巨大中国の更なる発展によって、今後の世界は大きく変動するでしょう。

この変動が悪い方向にいかないように、この時代に立つ中国人は努力すべきです。

(四)

本書の目的は、私の中国に関する経済と政治に対する考え方と、中国に対する価値観や国家観を自由に提示し、他人の考え方とすり合わせながら、交流していくことにあります。もし不備があったり、根本的に間違っていたら、私はそれを改善し修正していく用意があります。

第一部

中国経済についての事実と予想

「ここ10年近く、中国の経済成長は鈍化し続けています」「中国の経済成長率が30年ぶりの低水準になりました」このような新聞記事が日本では良く見られます。実際の中国の経済成長率のデータを見ると、これらの報道の内容が真実であると確認できます。「中国経済は、崩壊する寸前です」「中国の経済成長はもう終焉しました」このようなことも、日本の新聞でも良く報道されています。恐らく、中国の経済成長率が鈍化しているという事実から、これらの結論を導いているのでしょう。

しかし、このような結論は妥当でしょうか。もし、これらの結論が間違っているとするなら、原因はどこにあるのでしょうか。日本での中国に関する報道は、何が真実で、何が嘘なのでしょうか。真実ではない報道は、知識不足からきているのでしょうか、偏見からでしょうか、それとも、意図的に嘘の情報を流して、日本の国民を洗脳したいのでしょうか。

本書では、まず中国経済の基本的なデータを提示し、現在までの中国経済の事実を紹介します。更にその事実に基づき、本書独自の今後の中国経済の発展モデルを提示し、2050年までの中国経済を予想します。先に結論をいってしまうと、約30年後の2050年には、中国の名目国民総生産（名目GDP）は米国の1.41倍、日本の7.92倍になります。同時に、2050年の中国の１人当たり名目国民総生産（１人当たり名目GDP）は米国の33.2%、日本の71.4%にすぎません。

本書では、2050年までの毎年の中国経済データ（表1-4、1-5）を明確に予想し提示します。本書の予想データと、今後毎年発表

されるIMFのデータを比較することで、読者は本書の経済発展モデルの正確性をいつでも検証することができます。著者としても、今後常にこの経済発展モデルを現実と比較・検証し、改善していきたいと考えています。

第一章

発展途上国

まずは1980～2019年までの中国の経済指標（表1-1）を提示します。参考までに、日米の経済指標（表1-2、1-3）も提示します。

表 1-1 中国の経済指標

年代	人口 百万人	実質ＧＤＰ成長率 %	名目ＧＤＰ 十億ドル	1人当たり名目ＧＤＰ ドル
1980	987.05	7.91	305.348	309.354
1981	1,000.72	5.1	290.827	290.617
1982	1,016.54	9	286.719	282.054
1983	1,030.08	10.8	307.677	298.692
1984	1,043.57	15.2	316.628	303.408
1985	1,058.51	13.5	312.616	295.336
1986	1,075.07	8.9	303.34	282.158
1987	1,093.00	11.7	330.303	302.199
1988	1,110.26	11.3	411.923	371.015
1989	1,127.04	4.2	461.066	409.094
1990	1,143.33	3.9	398.623	348.651
1991	1,158.23	9.2	415.604	358.826
1992	1,171.71	14.3	495.671	423.032
1993	1,185.17	13.9	623.054	525.708
1994	1,198.50	13.1	566.471	472.65
1995	1,211.21	11	736.87	608.375
1996	1,223.89	9.9	867.224	708.58
1997	1,236.26	9.2	965.338	780.854
1998	1,247.61	7.8	1,032.57	827.641
1999	1,257.86	7.6	1,097.14	872.226
2000	1,267.43	8.4	1,214.92	958.566
2001	1,276.27	8.3	1,344.08	1,053.13
2002	1,284.53	9.1	1,477.50	1,150.23
2003	1,292.27	10	1,671.07	1,293.12
2004	1,299.88	10.1	1,966.24	1,512.64
2005	1,307.56	11.3	2,308.80	1,765.73
2006	1,314.48	12.7	2,774.29	2,110.56
2007	1,321.29	14.2	3,571.45	2,703.00
2008	1,328.02	9.6	4,604.29	3,467.03
2009	1,334.50	9.2	5,121.68	3,837.90
2010	1,340.91	10.606	6,066.35	4,524.06
2011	1,347.35	9.5	7,522.10	5,582.89
2012	1,354.04	7.9	8,570.35	6,329.46
2013	1,360.72	7.8	9,635.03	7,080.83
2014	1,367.82	7.3	10,534.53	7,701.69
2015	1,374.62	6.9	11,226.19	8,166.76
2016	1,382.71	6.734	11,221.84	8,115.83
2017	1,390.08	6.757	12,062.28	8,677.40
2018	1,395.38	6.567	13,407.40	9,608.42
2019	1,400.17	6.267	14,216.50	10,153.39

出所：IMF　http://www.imfstatistics.org/ により作成（2020 年 10 月 1 日）

表 1-2　米国の経済指標

年代	人口 百万人	実質ＧＤＰ成長率 %	名目ＧＤＰ 十億ドル	１人当たり名目ＧＤＰ ドル
1980	227.622	-0.257	2,857.33	12552.943
1981	229.916	2.538	3,207.03	13948.701
1982	232.128	-1.802	3,343.80	14404.994
1983	234.247	4.584	3,634.03	15513.679
1984	236.307	7.237	4,037.65	17086.441
1985	238.416	4.169	4,339.00	18199.32
1986	240.593	3.463	4,579.63	19034.766
1987	242.751	3.460	4,855.25	20000.968
1988	244.968	4.177	5,236.43	21375.999
1989	247.286	3.673	5,641.60	22814.077
1990	250.047	1.886	5,963.13	23847.977
1991	253.392	-0.108	6,158.13	24302.776
1992	256.777	3.522	6,520.33	25392.931
1993	260.146	2.753	6,858.55	26364.192
1994	263.325	4.029	7,287.25	27674.021
1995	266.458	2.684	7,639.75	28671.48
1996	269.581	3.772	8,073.13	29946.973
1997	272.822	4.447	8,577.55	31440.087
1998	276.022	4.481	9,062.83	32833.666
1999	279.195	4.753	9,630.70	34494.539
2000	282.296	4.127	10,252.35	36317.741
2001	285.216	0.999	10,581.83	37101.103
2002	288.019	1.742	10,936.45	37971.28
2003	290.733	2.861	11,458.25	39411.546
2004	293.389	3.799	12,213.73	41629.858
2005	296.115	3.513	13,036.63	44025.56
2006	298.93	2.855	13,814.60	46213.508
2007	301.903	1.876	14,451.88	47869.24
2008	304.718	-0.137	14,712.83	48283.413
2009	307.374	-2.537	14,448.93	47007.674
2010	309.737	2.564	14,992.05	48402.581
2011	311.941	1.551	15,542.60	49825.501
2012	314.163	2.249	16,197.05	51556.171
2013	316.329	1.842	16,784.83	53061.235
2014	318.619	2.452	17,521.75	54992.725
2015	320.93	2.881	18,219.30	56770.397
2016	323.225	1.567	18,707.15	57876.631
2017	325.326	2.217	19,485.40	59894.998
2018	327.352	2.857	20,494.05	62605.592
2019	329.559	2.331	21,344.67	64767.442

出所：IMF　http://www.imfstatistics.org/ により作成（2020 年 10 月 1 日）

表 1-3　日本の経済指標

年代	人口 百万人	実質ＧＤＰ成長率 %	名目ＧＤＰ 十億ドル	１人当たり名目ＧＤＰ ドル
1980	116.769	3.181	1,105.39	9,466.40
1981	117.623	4.209	1,218.99	10,363.52
1982	118.451	3.312	1,134.52	9,577.94
1983	119.271	3.523	1,243.32	10,424.37
1984	120.05	4.502	1,318.38	10,981.92
1985	120.8	5.233	1,398.89	11,580.20
1986	121.446	3.327	2,078.95	17,118.39
1987	122.031	4.731	2,532.81	20,755.51
1988	122.548	6.785	3,071.68	25,065.13
1989	123.028	4.858	3,054.91	24,830.99
1990	123.438	4.893	3,132.82	25,379.60
1991	123.928	3.417	3,584.42	28,923.31
1992	124.367	0.848	3,908.81	31,429.62
1993	124.77	-0.518	4,454.14	35,698.91
1994	125.116	0.993	4,907.04	39,219.81
1995	125.436	2.742	5,449.12	43,441.33
1996	125.711	3.1	4,833.71	38,450.96
1997	126.011	1.076	4,414.73	35,034.54
1998	126.349	-1.128	4,032.51	31,915.74
1999	126.587	-0.252	4,562.08	36,039.08
2000	126.831	2.78	4,887.52	38,535.59
2001	127.132	0.406	4,303.54	33,850.88
2002	127.4	0.118	4,115.12	32,300.67
2003	127.634	1.528	4,445.66	34,831.20
2004	127.734	2.205	4,815.17	37,696.72
2005	127.752	1.663	4,755.41	37,223.77
2006	127.746	1.42	4,530.38	35,463.87
2007	127.757	1.654	4,515.26	35,342.48
2008	127.692	-1.094	5,037.91	39,453.49
2009	127.551	-5.416	5,231.38	41,014.19
2010	127.594	4.192	5,700.10	44,673.61
2011	127.831	-0.115	6,157.46	48,168.80
2012	127.552	1.495	6,203.21	48,632.90
2013	127.333	2	5,155.72	40,490.16
2014	127.12	0.375	4,850.41	38,156.33
2015	126.978	1.223	4,389.48	34,568.93
2016	126.96	0.609	4,926.67	38,804.86
2017	126.746	1.936	4,859.79	38,342.74
2018	126.495	0.814	4,971.77	39,303.96
2019	126.19	0.891	5,154.48	40,846.78

出所：IMF　http://www.imfstatistics.org/ により作成（2020 年 10 月 1 日）

2019年の世界銀行による分類では、発展途上国を「低所得国」「下位中所得国」「上位中所得国」の3つに分けています。低所得国は１人当たりGNI（国民所得）が1026ドル（本書のドルは全て米ドルとします）以下の国、下位中所得国は1026ドル～3995ドルまでの国、上位中所得国は3996ドル～12375ドルまでの国と定義されています。

この分類によると、発展途上国と先進国の境界線は１人当たりGNIでいうと12376ドルということです。2019年の中国の１人当たり名目GDPは約10153ドルで、中国のGDPとGNIがほぼ一致していると仮定すると、先進国入りの最低基準である12376ドルには達していません。

つまり、2019年の中国は発展途上国です。具体的にいうと、発展途上国中の上位中所得国に当たります。

そして、このまま発展すると、恐らく2022年か、2023年に、中国は先進国入りの最低基準に達します。先進国となった中国は、発展途上国として有していた経済・貿易に関する優遇を失い、日本やアメリカなどと同様、国際社会から先進国としての経済・貿易に関する国内政策と法律を厳しく求められるようになると考えられます。

第二章

大きくなった中国経済

中国の名目 GDP の推移（1980 ~ 2019 年）

表1-1に示すように、中国経済は過去40年間急速に発展してきました。中国の名目GDPは1980年の3053億ドルから2000年の12149億ドル、2019年の142165億ドルとなり、過去40年間で約46倍となりました（表1-1、図 1-1）。特に2001年のWTO加盟以降、中国の名目GDPの曲線は急激に上昇しています。

図1-1　中国の名目GDPの推移（1980～2019年）

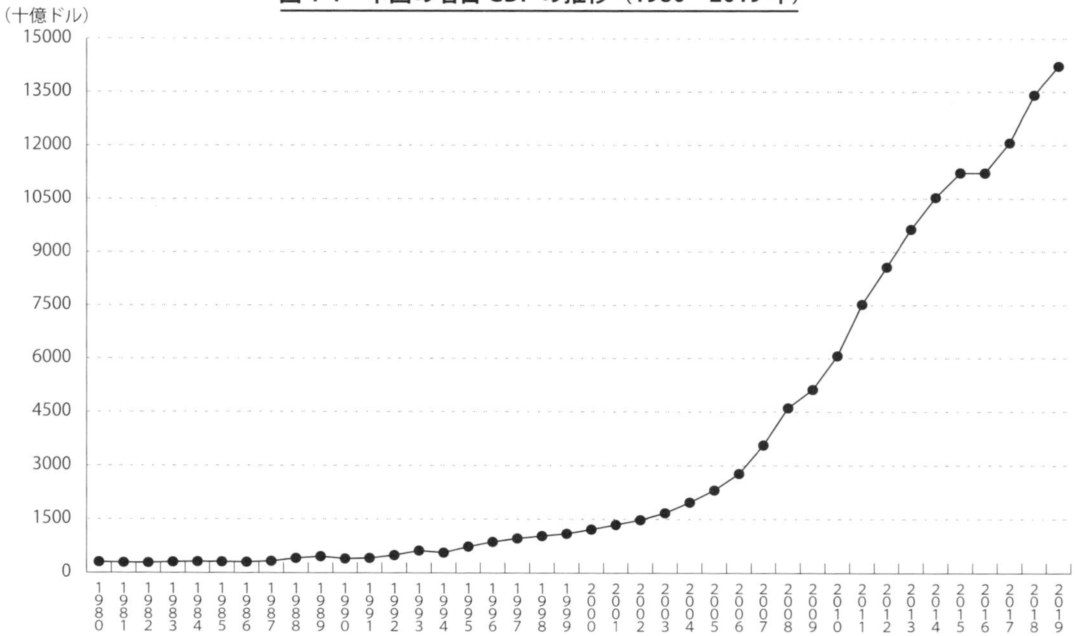

出所：IMF　http://www.imfstatistics.org/ により作成（2020年10月1日）

中国の１人当たり名目GDPの推移（1980～2019年）

中国の１人当たり名目GDPは1980年には309ドルでしたが、2000年には959ドル、2019年には10153ドルとなり、過去40年間で約33倍になりました（表1-1、図 1-2）。１人当たり名目GDPは国民の生活水準を反映しています。この40年間の中国の１人当たり名目GDPの変化から、この間、数億単位の中国人が貧困から脱し、中間層か富裕層に入ったと推測できます。

中国の名目GDPと１人当たり名目GDPのこの40年間の変化から、2019年までの中国は、経済規模が大きくなり、国民生活がある程度豊かになり、社会が急速に発展し続ける発展途上国だったということが導き出されます。

図1-2　中国の1人当たり名目GDPの推移（1980〜2019年）

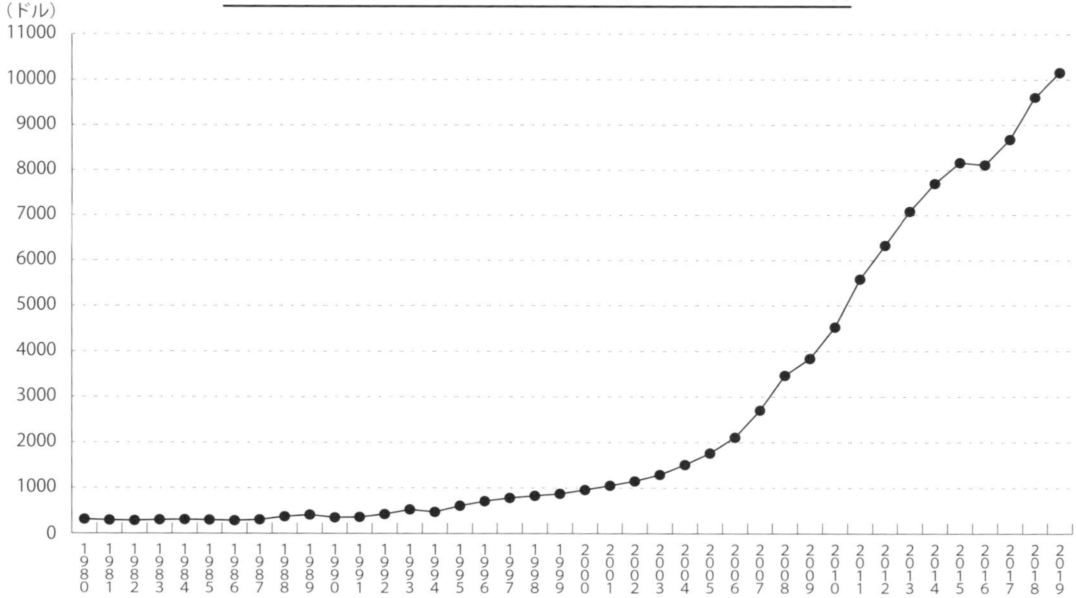

出所：IMF　http://www.imfstatistics.org/ により作成（2020年10月1日）

中国経済の存在感

経済規模で世界の上位3カ国である日米中の名目GDPの推移を並べてみます（図1-3）。全体像として：①1980～1995年の間、日本の名目GDPは順調に増加していましたが、1995年以降は停滞状態にありました。②1980年以降2019年まで、米国の名目GDPは常に順調に増加し続けていました。ですから、過去40年間で米国が主導した軍事戦争も経済危機も、米国経済の持続的な成長に役に立ったと考えられます。③1980～2004年の間、規模が小さい中国経済は持続的に成長していました。そして、2001年のWTO加盟以降、経済成長基盤が安定し、更なる成長を続け、名目GDPは2004年以後毎年急激に増加しています。④米中の経済規模の差は1980年から2006年まで年々拡大していましたが、2006年の110403億ドルを頂点に、その後年々減少していき、2019年は71282億ドルまで減少しました。⑤2010年に中国の名目GDPは6.07兆ドルに達し、当時の日本の5.70兆ドルの名目GDPを上回りました。中国は経済規模で米国に次ぐ世界2位の大国となりました。

2019年には、日米中の名目GDPはそれぞれ5.15兆ドル、21.34兆ドル、14.22兆ドルでした。中国の名目GDPは日本の約2.76倍、米国の約66.6％に達しました。中国の経済規模は世界２位としての地位を確固たるものとしました。近い将来、中国の経済規模は米国を抜き、世界１位になるでしょう。中国経済の存在感は今後も益々大きくなると予想されます。

図1-3　経済規模世界上位3カ国の名目GDPの推移（1980～2019年）

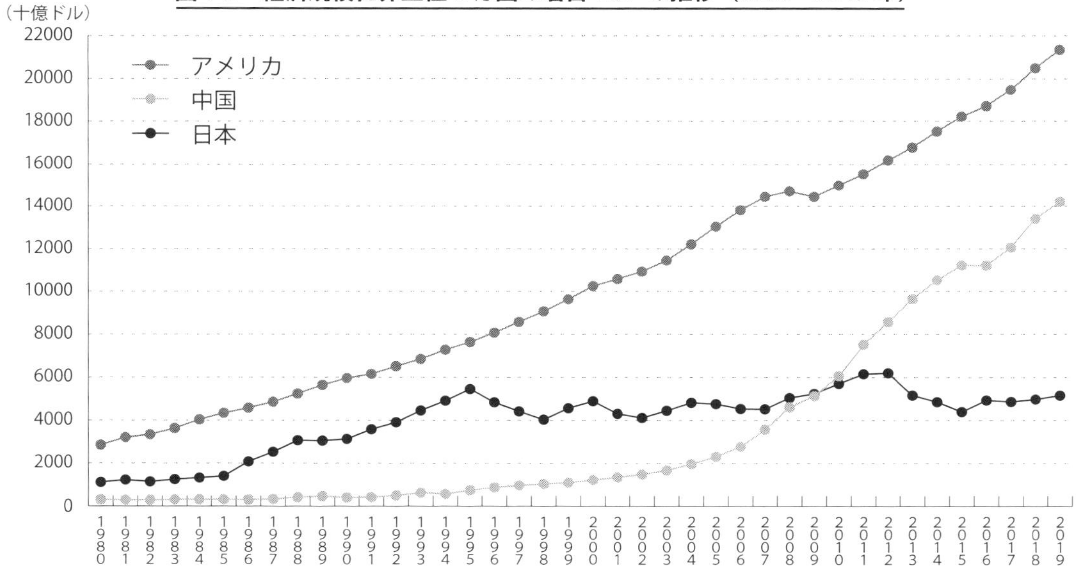

出所：IMF　http://www.imfstatistics.org/ により作成（2020年10月1日）

第三章

私の 2020 ～ 2050 年までの 中国経済予想

中国の実質 GDP 成長率（1980 ～ 2019 年）

2020年以降の中国経済を予測するため、2019年までの中国の実質GDP成長率を見てみましょう（表1-1、図1-4）。実質GDP成長率において、中国経済は1980～2019年の40年間で年平均9.4％で成長してきました。しかし、図 1-4に示すように、2010年から2019年まで、中国の経済成長率は明らかに、鈍化し続けていました。恐らく、経済規模が大きくなりすぎた中国の発展スピードは今後更に落ちていくと考えられます。中国経済にとって重要なのは、この発展スピードの落ち方をいかに緩やかにしていくことができるかということです。日米などの世界の先進国を見ると、今後の中国経済は中度成長期を経て、いつか必ず低成長期か停滞期に入ります。これを踏まえ、次節では2020～2050年までの中国経済を予想します。

図 1-4　中国の実質 GDP 成長率の推移（1980～2019 年）

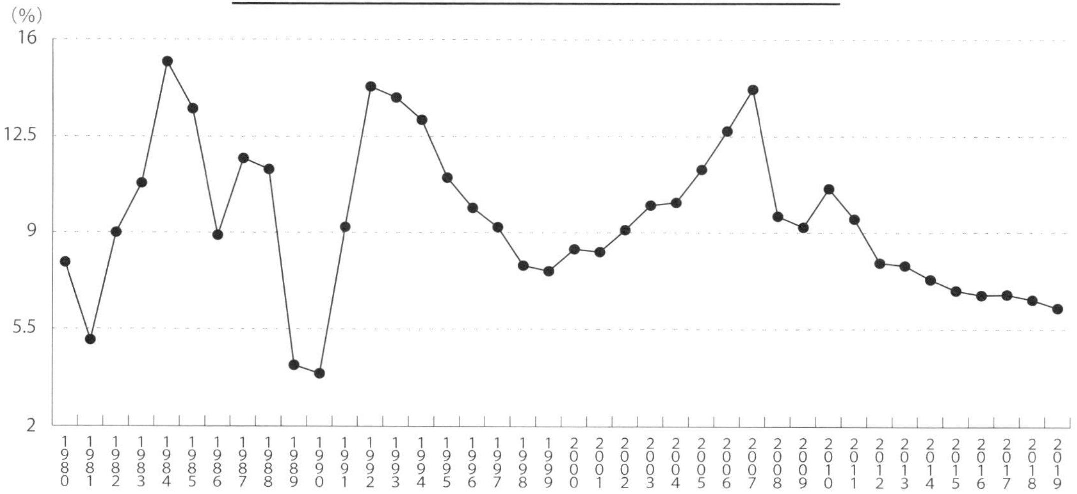

出所：IMF　http://www.imfstatistics.org/ により作成（2020 年 10 月 1 日）

今後の日米中経済の予想（2020 ～ 2050 年）

中国も現在のグローバル社会の一員です。今後の中国経済の全体像をより正確に把握するためには、日米経済についても同時に予測することが欠かせません。日米中の1980～2019年の実質GDP成長率の推移（図1-5）を分析して、2020～2050年までの日米中の実質GDP成長率を予想し、そして名目GDPと１人当たり名目GDPも予想してみます。

図 1-5　日米中の実質 GDP 成長率の推移（1980～2019 年）

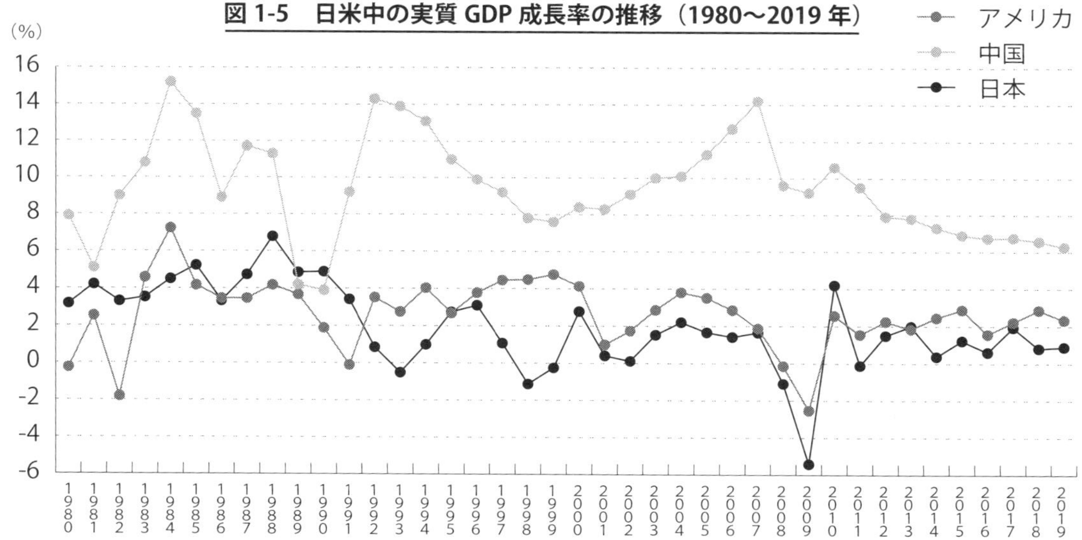

出所：IMF　http://www.imfstatistics.org/ により作成（2020 年 10 月 1 日）

中国の実質GDP成長率は2010年の10.61％から2019年の6.27％まで年々鈍化しています。恐らくこの10年間は中国経済の高度成長期から中度成長期への移行期間だと考えられます。そのため、この10年間の中国経済の成長率は著しく減少しました。もう１つの考え方は、2008年のグローバル経済危機直後の2009年と2010年、中国は強引な手法で経済成長率を高く維持したことで、その後の長期間の成長率の低下を引き起こしたというものです。あるいは、中国政府は今後更なる長期間の持続的な成長を求め、意図的にこの10年間の成長率を大きく落としたとも考えられます。これらの一時的な原因を別にしても、今の中国の経済規模・国内の経済構造問題・国際上の貿易問題などの現状を考え、長期的な視点で分析すると、中国経済の高度成長期は既に終焉したと考えられます。今後の中国経済は、もっとも良いシナリオでも、長い中度成長期を経て、その後は日米と同程度、あるいは日米以下の経済成長率になるかもしれません。現時点で重要なのは、いかに今の中度成長期の期間を長く延ばすことができるかです。つまり、いつか必ず来る中国経済の低成長期、または停滞期の前に、中国の１人当たり名目GDPは日米と同程度まで並べるか、ということです。

2019年の中国の１人当たり名目GDPは約10153ドルでした。日本は約40847ドル、米国は約64767ドルで、中国の約４倍と６倍です。これらのデータから、仮説①として、中国の１人当たり名目GDPは日米並みになる可能性と潜在

力がある、つまり、今後、中国経済の成長はまだ長く続くと仮定します。この仮説の根拠については、本書ではページを割くことはしません。一言でいえば、恐らく中国は今まで主に実質労働人口の増加と資本の増加（特に日米欧からの資本の流入）、つまり経済の量的な増加による成長から、主に技術進歩による、経済の質的改善による成長によって、日米と並ぶ１人当たり名目GDPまで成長していきます。この仮説に疑問を持つ方は、中国経済に関する文献などを参照し、更に研究することをお勧めします。

中国経済は今後も長く成長すると仮定しましたが、具体的な成長率の数値はどうなるでしょうか。近年の中国のGDP成長率を参考にし、今後も経済成長率の変動が少ないと予想します。勿論、世界中の資源を有する国は、資源価格の激しい変動に伴い、経済成長率も激しく変動します。中国は製造業中心の工業国ですから、資源国とは異なります。中国での内戦や戦争がない限り、製造業の変化は緩やかなので、経済成長率の変化も小さいはずです。前述の分析の通り、明らかに今後中国経済の成長率が緩やかに鈍化していき、いつか低成長期に入るということと、2019年の実質GDP成長率6.27％から、仮説②として、中国の実質GDP成長率は2020年に6％、2021年からは、前年の成長率よりマイナス0.1％(つまり2020年以降の中国の実質成長率＝6％－0.1×ｎ％、ｎは2020年より経過する年数)で年々減少していくと仮定します。勿論、中国経済の高度化が順調に進まない

場合、前年の成長率より平均でマイナス0.1％ではなく、マイナス0.2％以上減少していく場合も考えられます。本書の経済予想モデルでは、中国が今後前年の成長率よりマイナス0.1％で年々減少していく可能性があると仮定しています。勿論、この仮説に対して疑問がある方もいるとは思います。

一方、図1-5により、日米経済はもう何十年も前から安定した低成長期に入りました。前述の考え方から、激しい社会変化や戦争がない限り、これ以降、日本もアメリカも今と同じくらいの成長率で推移していくと予想します。つまり、今後の日米経済の平均実質GDP成長率をそれぞれ1％、2％と仮定します。

これらの仮説をまとめると、①今後の中国の実質GDP成長率は2020年に6％、2021年から前年成長率よりマイナス0.1％で年々減少していく。②今後の日本とアメリカの平均実質GDP成長率は1％と2％となる。③2020年から2050年までの円ドル元の相互為替水準については不変と仮定する。④2020年から2050年までの日米中３カ国のそれぞれのインフレ率は考慮に入れないこととする。

この４つの仮説から、日米中の2020年から2050年までの名目GDPを算出したものが、表1-4と図1-6です。

表 1-4　日米中の名目 GDP の推移
（1980 ～ 2019 年 IMF データ、2020 ～ 2050 年予測データ）

（2020 年 10 月 1 日）

年代	中国実質ＧＤＰ成長率 %	中国名目ＧＤＰ 十億ドル	米国名目ＧＤＰ 十億ドル	日本名目ＧＤＰ 十億ドル
1980	7.91	305.348	2,857.33	1,105.39
1981	5.1	290.827	3,207.03	1,218.99
1982	9	286.719	3,343.80	1,134.52
1983	10.8	307.677	3,634.03	1,243.32
1984	15.2	316.628	4,037.65	1,318.38
1985	13.5	312.616	4,339.00	1,398.89
1986	8.9	303.34	4,579.63	2,078.95
1987	11.7	330.303	4,855.25	2,532.81
1988	11.3	411.923	5,236.43	3,071.68
1989	4.2	461.066	5,641.60	3,054.91
1990	3.9	398.623	5,963.13	3,132.82
1991	9.2	415.604	6,158.13	3,584.42
1992	14.3	495.671	6,520.33	3,908.81
1993	13.9	623.054	6,858.55	4,454.14
1994	13.1	566.471	7,287.25	4,907.04
1995	11	736.87	7,639.75	5,449.12
1996	9.9	867.224	8,073.13	4,833.71
1997	9.2	965.338	8,577.55	4,414.73
1998	7.8	1,032.57	9,062.83	4,032.51
1999	7.6	1,097.14	9,630.70	4,562.08
2000	8.4	1,214.92	10,252.35	4,887.52
2001	8.3	1,344.08	10,581.83	4,303.54
2002	9.1	1,477.50	10,936.45	4,115.12
2003	10	1,671.07	11,458.25	4,445.66
2004	10.1	1,966.24	12,213.73	4,815.17
2005	11.3	2,308.80	13,036.63	4,755.41
2006	12.7	2,774.29	13,814.60	4,530.38
2007	14.2	3,571.45	14,451.88	4,515.26
2008	9.6	4,604.29	14,712.83	5,037.91
2009	9.2	5,121.68	14,448.93	5,231.38
2010	10.606	6,066.35	14,992.05	5,700.10
2011	9.5	7,522.10	15,542.60	6,157.46
2012	7.9	8,570.35	16,197.05	6,203.21
2013	7.8	9,635.03	16,784.83	5,155.72
2014	7.3	10,534.53	17,521.75	4,850.41
2015	6.9	11,226.19	18,219.30	4,389.48
2016	6.734	11,221.84	18,707.15	4,926.67
2017	6.757	12,062.28	19,485.40	4,859.79
2018	6.567	13,407.40	20,494.05	4,971.77
2019	6.267	14,216.50	21,344.67	5,154.48
2020	6	15,069.49	21,771.56	5,206.02
2021	5.9	15,958.59	22,206.99	5,258.08
2022	5.8	16,884.19	22,651.13	5,310.66
2023	5.7	17,846.59	23,104.15	5,363.77
2024	5.6	18,846.00	23,566.24	5,417.41
2025	5.5	19,882.53	24,037.56	5,471.58
2026	5.4	20,956.19	24,518.31	5,526.29
2027	5.3	22,066.86	25,008.68	5,581.56
2028	5.2	23,214.34	25,508.85	5,637.37
2029	5.1	24,398.27	26,019.03	5,693.75
2030	5	25,618.19	26,539.41	5,750.68
2031	4.9	26,873.48	27,070.20	5,808.19
2032	4.8	28,163.40	27,611.60	5,866.27
2033	4.7	29,487.08	28,163.83	5,924.94
2034	4.6	30,843.49	28,727.11	5,984.19
2035	4.5	32,231.45	29,301.65	6,044.03
2036	4.4	33,649.63	29,887.69	6,104.47
2037	4.3	35,096.56	30,485.44	6,165.51
2038	4.2	36,570.62	31,095.15	6,227.17
2039	4.1	38,070.02	31,717.05	6,289.44
2040	4	39,592.82	32,351.39	6,352.33
2041	3.9	41,136.94	32,998.42	6,415.86
2042	3.8	42,700.14	33,658.39	6,480.02
2043	3.7	44,280.05	34,331.56	6,544.82
2044	3.6	45,874.13	35,018.19	6,610.26
2045	3.5	47,479.72	35,718.55	6,676.37
2046	3.4	49,094.03	36,432.92	6,743.13
2047	3.3	50,714.13	37,161.58	6,810.56
2048	3.2	52,336.99	37,904.81	6,878.67
2049	3.1	53,959.43	38,662.91	6,947.45
2050	3	55,578.22	39,436.17	7,016.93

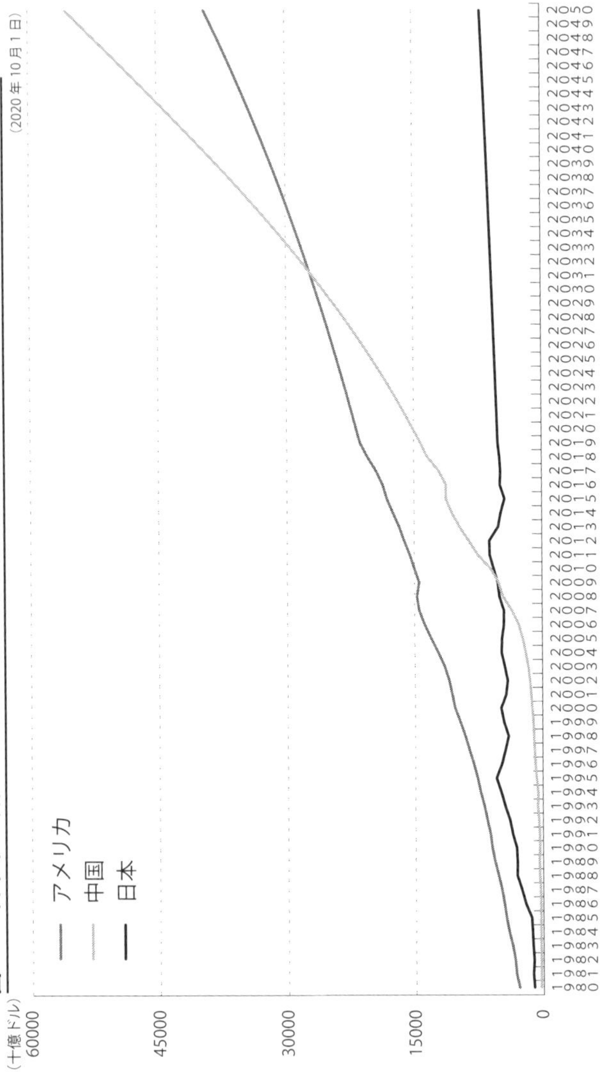

図 1-6　日米中の名目 GDP の推移（1980〜2019 年 IMF データ、2020〜2050 年予測データ）

表1-4からは、次の２点を導き出すことができます。①2032年に、日米中の名目GDPがそれぞれ5.87兆ドル、27.61兆ドル、28.16兆ドルとなり、中国の経済規模が初めて米国を上回ります。この時、中国の経済規模は日本の約4.80倍になります。②2050年に、日米中の名目GDPがそれぞれ7.02兆ドル、39.44兆ドル、55.58兆ドルとなり、中国の経済規模は日米の総額を超え、日本の7.92倍、米国の1.41倍に達します。

更に、2020年から2050年まで日米中の人口数が共に変化しないということを加味し、表1-5と図1-7を導きます。

表 1-5　日米中の１人当たり名目 GDP の推移
（1980 ～ 2019 年 IMF データ、2020 ～ 2050 年予測データ）

（2020 年 10 月 1 日）

年代	中国実質ＧＤＰ成長率 %	中国１人当たり名目 ＧＤＰ　ドル	米国１人当たり名目 ＧＤＰ　ドル	日本１人当たり名目 ＧＤＰ　ドル
1980	7.91	309.354	12,552.94	9,466.40
1981	5.1	290.617	13,948.70	10,363.52
1982	9	282.054	14,404.99	9,577.94
1983	10.8	298.692	15,513.68	10,424.37
1984	15.2	303.408	17,086.44	10,981.92
1985	13.5	295.336	18,199.32	11,580.20
1986	8.9	282.158	19,034.77	17,118.39
1987	11.7	302.199	20,000.97	20,755.51
1988	11.3	371.015	21,376.00	25,065.13
1989	4.2	409.094	22,814.08	24,830.99
1990	3.9	348.651	23,847.98	25,379.60
1991	9.2	358.826	24,302.78	28,923.31
1992	14.3	423.032	25,392.93	31,429.62
1993	13.9	525.708	26,364.19	35,698.91
1994	13.1	472.65	27,674.02	39,219.81
1995	11	608.375	28,671.48	43,441.33
1996	9.9	708.58	29,946.97	38,450.96
1997	9.2	780.854	31,440.09	35,034.54
1998	7.8	827.641	32,833.67	31,915.74
1999	7.6	872.226	34,494.54	36,039.08
2000	8.4	958.566	36,317.74	38,535.59
2001	8.3	1,053.13	37,101.10	33,850.88
2002	9.1	1,150.23	37,971.28	32,300.67
2003	10	1,293.12	39,411.55	34,831.20
2004	10.1	1,512.64	41,629.86	37,696.72
2005	11.3	1,765.73	44,025.56	37,223.77
2006	12.7	2,110.56	46,213.51	35,463.87
2007	14.2	2,703.00	47,869.24	35,342.48
2008	9.6	3,467.03	48,283.41	39,453.49
2009	9.2	3,837.90	47,007.67	41,014.19
2010	10.606	4,524.06	48,402.58	44,673.61
2011	9.5	5,582.89	49,825.50	48,168.80
2012	7.9	6,329.46	51,556.17	48,632.90
2013	7.8	7,080.83	53,061.24	40,490.16
2014	7.3	7,701.69	54,992.73	38,156.33
2015	6.9	8,166.76	56,770.40	34,568.93
2016	6.734	8,115.83	57,876.63	38,804.86
2017	6.757	8,677.40	59,895.00	38,342.74
2018	6.567	9,608.42	62,605.59	39,303.96
2019	6.267	10,153.39	64,767.44	40,846.78
2020	6	10,762.59	66,062.79	41,255.24
2021	5.9	11,397.59	67,384.05	41,667.80
2022	5.8	12,058.65	68,731.73	42,084.48
2023	5.7	12,745.99	70,106.36	42,505.32
2024	5.6	13,459.76	71,508.49	42,930.37
2025	5.5	14,200.05	72,938.66	43,359.68
2026	5.4	14,966.85	74,397.43	43,793.27
2027	5.3	15,760.10	75,885.38	44,231.21
2028	5.2	16,579.62	77,403.09	44,673.52
2029	5.1	17,425.18	78,951.15	45,120.25
2030	5	18,296.44	80,530.17	45,571.46
2031	4.9	19,192.97	82,140.78	46,027.17
2032	4.8	20,114.23	83,783.59	46,487.44
2033	4.7	21,059.60	85,459.26	46,952.32
2034	4.6	22,028.34	87,168.45	47,421.84
2035	4.5	23,019.62	88,911.82	47,896.06
2036	4.4	24,032.48	90,690.05	48,375.02
2037	4.3	25,065.88	92,503.86	48,858.77
2038	4.2	26,118.64	94,353.93	49,347.36
2039	4.1	27,189.51	96,241.01	49,840.83
2040	4	28,277.09	98,165.83	50,339.24
2041	3.9	29,379.89	100,129.15	50,842.63
2042	3.8	30,496.33	102,131.73	51,351.06
2043	3.7	31,624.69	104,174.37	51,864.57
2044	3.6	32,763.18	106,257.85	52,383.21
2045	3.5	33,909.90	108,383.01	52,907.05
2046	3.4	35,062.83	110,550.67	53,436.12
2047	3.3	36,219.91	112,761.68	53,970.48
2048	3.2	37,378.94	115,016.92	54,510.18
2049	3.1	38,537.69	117,317.26	55,055.28
2050	3	39,693.82	119,663.60	55,605.84

図 1-7 日米中の 1 人当たり名目 GDP の推移（1980～2019 年 IMF データ、2020～2050 年予測データ）

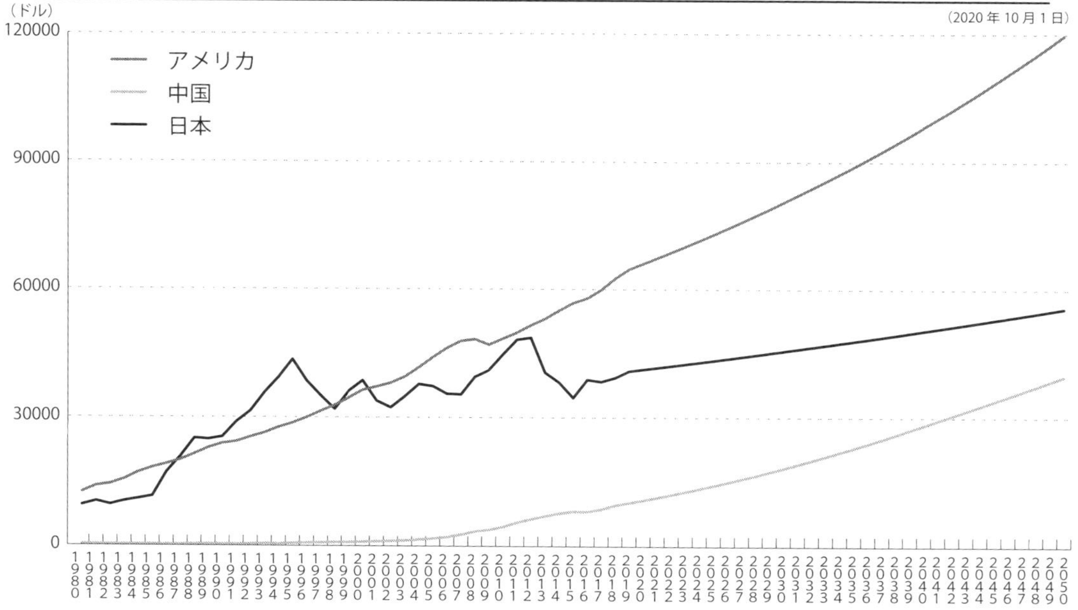

表1-5からは、次の3点を導き出すことができます。①2023年に、中国の１人当たり名目GDPが12746ドルに達し、世界銀行が定義した発展途上国と先進国の境界線である１人当たりGNI12376ドル（2019年）を上回り、中国は先進国の仲間入りを達成します。この時点の中国の１人当たり名目GDPは同じ年の米国の70106ドルの18.2%、日本の42505ドルの30.0%にすぎません。②2050年に、日米中の１人当たり名目GDPがそれぞれ55606ドル、119664ドル、39694ドルとなり、中国の１人当たり名目GDPは米国の33.2%、日本の71.4%になります。③１人当たり名目GDPがその国の豊かさ・科学技術力の強さ・社会の合理性・国民の能力と資質・人権や自由、民主主義を表す指標と見なす場合、30年後の2050年になっても、中国社会のこれらの指標は日本の約7割、米国の約3割にすぎません。

勿論、2050年の日米の１人当たり名目GDPの差から、アメリカ国民の資質や社会の合理性などが日本の2倍だと思う人はいないでしょう。同様に、2050年の中国人の能力と資質・社会の合理性などが日本の7割だと考えるのもおかしいかもしれません。本書はあくまでも、経済が持続的に発展している中国を論じる時、経済発展と共にこのような指標も発展していくという観点から、日米の指標を対照物として分析しているだけです。

国と国を厳密に比較する際には、より多くの要素を考えるべきでしょう。本書は主に名目GDPと１人当たり名目

GDPから日米中を比較します。一国の科学技術力・国民の資質・人口・通貨・価値観・文化・人種・軍事力・社会システム・政治力などの要素も無視することはできませんが、本書は、これらの要素が名目GDPと１人当たり名目GDPに概ね含まれると考え、省略しています。このことによって欠落している部分もあるとは思いますが、本書はあくまでも、名目GDPと１人当たり名目GDPから日米中の関係を予想し、１つの参考の視座として提供したいと思います。

予想外の2020年コロナ経済危機

2020年から、世界はコロナ危機に陥りました。そのため、2020年と2021年の各国のGDP成長率は通常の成長率から大きく乖離してしまいました。ここではまず、コロナ危機により、前述の2020～2050年の経済予想モデルを修正する必要があるかどうか、検討します。

中国だけを見てみましょう。

2020年の中国の実質GDP成長率は2.3％であり、本書が予想する6.0％より、大きく落ちました。しかし、長い目で見ると、コロナによる経済危機は2050年までの総経済成長に対して影響を及ぼすことは少ないと考えられます。2020年のコロナ危機による経済成長の損失は、その後の5年、7年で挽回できるでしょう。例えば、1989年の天安門事件によって、1989年と1990年の経済成長率は大きく落ち込みま

したが、1991年からの数年間で挽回しています。コロナ危機は数年間中国の経済成長に対して影響を及ぼすでしょうが、長期間の視点に立つ2020～2050年の中国の経済成長の予想を修正する必要はありません。むしろ、本書の経済予想モデルで予測している経済指標を修正しない方が、より正確に長期間の中国経済の変化を捉えることができるかもしれません。内乱や戦争などが起こった場合を除き、予想と実際のデータが大きく乖離した場合、それはこの経済予想モデルが根本から間違っていることを意味します。

2050年までの日米中経済の発展について

（1）本書の経済予想モデルでは、2050年の中国の１人当たり名目GDPは39694ドルとなっており、米国の2003年、日本の1994年の水準に相当します。中国社会の豊かさは、米国の47年遅れ、日本の56年遅れです。インフレ率を考慮に入れると、この差はより広いものになります。

（2）本書の経済予想モデルでは、2020年、中国の実質GDP成長率は6％、それ以降の実質GDP成長率は前年成長率よりマイナス0.1％で徐々に鈍化していき、つまり2020～2050年の31年間で年平均4.5％で成長していくと予想しました。中国にとって、これはなかなか達成できない難しい数値目標かもしれません。一方、今後中国は、年平均5～6％の高い成長率で長期間で発展していくと楽観視する中国経済

学者もいます。

（3）ドル元相場が変動する要素も加味すると、中国は本書の経済予想モデルのGDP数値目標をより早い時期に達成するかもしれません。長期的な視点で見ると、中国の経済成長率が米国より高い状態が続く限り、今の国際金融システムで元高ドル安になると予想されます。例えば、2021年、1ドルは約6.5元に相当しますが、2030年代には約5元台に、2050年代には約4元台になるかもしれません。このように、もし為替相場の変動要素についても予想に入れると、本書の経済予想モデルより、ドル換算の中国の名目GDPは遥かに速いスピードで増大し、1人当たり名目GDPはより早い時期に日米に近づくと考えられます。また、中国の経済規模が米国を超えた場合、米国ドルが唯一の国際基準通貨である現在の金融秩序も崩壊し始めるでしょう。それ以降の日米中の経済が比べる時は、米ドル換算ではなく、別の方法が必要かもしれません。

（4）一方、米国にとって、2050年まで年平均2％の経済成長を続けていくことが簡単ではないかもしれません。米国の科学技術・軍事・通貨の優位性（この3つを米国覇権と呼びます）を維持することはこの予想の必須条件でしょう。更に、本書で示しているデータ以外の事柄を検討する必要もあるかもしれません。例えば、米国は今後白人の割合の持続的な減少によって、今の白人中心の社会から、もっと多様性がある社会に変化するでしょう。そして、白人主体の米国社会

の終焉は、米国内の民族再構築を意味します。これは今後の米国社会が迎える最大の挑戦であり、場合によっては国力の衰退にもつながりかねません。そのような意味でも、米国の2050年までの年平均2%の経済成長は多くの厳しい国内問題に直面しているでしょう。

（5）2019年の日米の1人当たり名目GDPはそれぞれ40847ドルと64767ドルでした。日本は米国の63.0%にすぎません。1人当たり名目GDPが低い経済体は、高い経済体より発展スピードが速いはずであるという経済学の考え方からすれば、今後の日本の経済成長率は米国より高いはずでしょう。しかし、恐らく日米のさまざまな事情から、近年日米の平均成長率は逆になり、それぞれ1%と2%でした。本書は近年のこの異常な日米平均成長率の関係が今後も続くとシンプルに仮定しました。この点についても疑問視すべき必要があるかもしれません。

（6）米国と日本の経済成長率の予想は難しいですが、中国としてはそこに必要以上に固執しなくても良いでしょう。中国は米国の経済指標を意識して、米国と覇権争いをするべきではありません。むしろ中国がやるべきことは、中国国民の生活水準の向上のため、2050年までの中度経済成長を維持すること、これだけです。

（7）今後、日米中は経済発展において共に多大な困難に直面するでしょう。日本の上にはより先進的な米国が存在し、同じ水準には西側諸国と韓国・台湾などが存在し、その下か

らは中国・ベトナム・インドなどが猛追してきています。経済界の頂点に立つ覇権国である米国の経済も、常に日本・西側諸国・韓国・台湾・中国・インドなどからの挑戦を受けています。中国経済も、上には米国・日本・西側諸国・韓国・台湾などが存在し、下からはベトナムとインドなどが常に中国の地位にとって代わろうと努力しています。全ての国は激しい競争状況に置かれ、持続的に発展するためには厳しい状況を乗り越えるしかありません。各国は経済分野で公平で自由に激しく競争すると同時に、互いに協力して、各国の経済発展を促進していくべきでしょう。

（8）2000年と2019年の中国の名目GDPはそれぞれ1.21兆ドルと14.22兆ドル、中国の1人当たり名目GDPはそれぞれ959ドルと10153ドルです。これは、1980～2019年までの40年間にわたる中国の年平均実質経済成長率9.4％のおかげです。1人当たり名目GDPが959ドルだった2000年から中国経済が崩壊すると予想した専門家たちは、この変化について何らかの説明をする必要があるのではないでしょうか。「中国経済が崩壊する」という言葉だけではなく、そこには明確な経済数値や根拠を提示する必要があったのではないでしょうか。社会は言論の自由を保障すべきですが、発言をするものは自ら自分の言論の真実を追求する義務があります。

（9）本書が重視している名目GDPと1人当たり名目GDPについて、次の部からの日米中の呼び方を定義したいと思います。

表1-4と1-5により、少なくとも2032年までは、名目GDPの指標において米国が間違いなく世界一の経済大国であり、更に1人当たり名目GDPの指標を加味すると、唯一の覇権国と呼ぶに相応しいでしょう。2032年には米中の経済規模が逆転するため、それ以降、米国は世界一の経済大国ではなくなり、同時に唯一の覇権国としての実力も緩やかに衰退していくでしょう。

中国は2010年の日中経済規模の逆転により、世界2位の経済大国になりましたが、同時に発展途上国でもありました。中国は2023年に先進国の1人当たり名目GDPの最低基準をクリアし、発展途上国とは呼べなくなります。2032年の米中経済規模の逆転により、中国は世界1位の経済大国になります。一方、中国の1人当たり名目GDPは2019年に1万ドル台、2032年に2万ドル台、2042年に3万ドル台、2051年に4万ドル台に達するので、「中度経済強国」としての中国の地盤も盤石なものとなっていきます。1995年に1人当たり名目GDPが43441ドルに達した日本と比較したら、2050年に1人当たり名目GDPが39694ドルに達する中国は、いつから真の経済強国と呼ばれるのでしょうか。更に、2050年に1人当たり名目GDPが119664ドルに達する米国と比較すると、中国が世界1位の経済強国になるまでにはもっと長い道のりが必要でしょう。ですから、中国は、そもそも覇権国になる資格がありません。加えて、中国の伝統文化は歴史上あらゆる覇権に対して批判的な立場を取ってきたので、

中国はあらゆる覇権を求めません。仮に米国から平和的に譲渡してもらうとしても受けないでしょう。つまり中国は永久に覇権を求めません。中国が覇権国になるのではないか心配する人は、中国の崩壊を希望する人と同様、真の中国文化を理解できていないのです。もし中国が覇権を求めたら、同時に国内から崩壊することを意味します。

（10）1980～2050年の日本の経済はどうでしょうか？　例えば、1995～2019年の日本経済の実質平均成長率は0.97%でしたが、1995年と2019年の日本の名目GDPはそれぞれ5.45兆ドルと5.15兆ドルで、全く伸長していません。なぜでしょうか？　それは、日米両国の人口数の変化以外、同時期の米国経済の平均成長率が2.47%で、日本より高かったためです。覇権国である米国の経済成長率より持続的に低いと、基準通貨であるドルと比べ、自国の通貨はどんどん安くなります。もし、日米の経済成長率が今後も約1%と2%の場合、円安が更に進行し、本書の経済予想モデルから得た表1-4と1-5の2020年以降の日本の名目GDPと１人当たり名目GDPは実現できないでしょう。つまり、2050年までは日本の１人当たり名目GDPは最高でも4万ドル台、日本の名目GDPは最高でも5兆ドル台を維持することが肝心です。2050年の米国の１人当たり名目GDPが約12万ドルまで成長すると、日本社会の豊かさは米国の3分の1程度となってしまいます。2050年の米国の名目GDPが約39兆ドルまで成長すると、日本経済の規模は米国の8分の1程度となっ

てしまいます。それに加えて、もし中国やインドなどが順調に成長した場合、日本の衰退はなお顕著なものとなるでしょう。2020年からの日本経済は、1990年代からの失われた30年、停滞している30年ではすまず、本当に衰退していくかもしれません。ドル換算すれば、恐らく、2050年の日本の１人当たり名目GDPは3万ドル台か2万ドル台になるでしょう。このような事態を回避するためにも、読者の皆さんは自分の頭で考える必要性があるのではないでしょうか。

（11）最後に、本書の経済予想モデルから、2020年と2021年の中国の名目GDPはそれぞれ15.07兆ドルと15.96兆ドル、中国の１人当たり名目GDPはそれぞれ10763ドルと11398ドルになると予測しました。ＩＭＦから発表されているデータ(World Economic Outlook database,April 2022)では、2020年と2021年の中国の名目GDPはそれぞれ14.86兆ドルと17.46兆ドル、中国の１人当たり名目GDPはそれぞれ10525ドルと12359ドルです。2020年と2021年の中国経済については概ね予想通りといっても良いでしょう。

次の部から、この経済成長予想をベースに、今後の中国の政治と社会、国際関係の変化を予想します。米中経済規模が逆転する2032年頃が今後の米中関係の分岐点になるでしょう。

第二部

中国の政治・社会システムについての事実と予想

第一部では、中国の経済規模は2032年に米国を超え、以降、米中経済規模の差がどんどん広がっていくことを本書の経済予想モデルで説明しました。中国経済の先進性も米国に近づき、いつか米国を超えるのではないでしょうか。今後の中国経済の更なる発展と共に、中国の政治制度・社会システム・価値観などを含む中国文化も本格的に世界に広がっていくでしょう。今後、中国人は自身の文化に対する正しい認識が求められ、慎重かつ平和的に中国文化を世界に広げていくべきです。一方、中国以外の国では、中国文化に対する客観的な認識と、平等かつ平和的に中国文化と交流していくことが求められます。

中国以外の国の人々と平等かつ平和的な交流を実現するため、本書では微力ながら中国社会の真実を紹介したいと思います。

中国経済を過大評価するか過小評価するか、つまり中国脅威論をとるか中国崩壊論をとるか、日本を含む西側諸国の判断が揺れ動いています。一方、中国政治については、西側諸国には一貫した認識があります。それは、選挙が存在しない共産党独裁国家だということです。中国に行ったことがない人でも、中国人には自由・民主・人権がないと断言しています。中国人が共産党に洗脳され、世界の真実を知らず、独立した思考力もなく、愚かなのだろうと一方的に決めつけているのではないでしょうか。

経済については統計データがありますから、経済状況についての議論は可能かもしれません。例えば、中国が発表しているGDPは嘘ではないか、過大評価しているのではないかとの疑問に対しては、中国の長年の電気消費量の変化、石油消費量の変化、自動

車の製造量と販売量の変化、海外へ旅行する中国人の数の変化などから検証できます。これらも中国政府の統計データだから信用できないというなら、中国以外の統計データでも検証できます。例えば世界各国の中国との貿易の量と質の変化から、主観的な憶測を除けば、公正に中国経済を評価することができるでしょう。実は、今、世界の約200カ国（地域）の中で、およそ120カ国（地域）の最大の貿易相手国が中国です。このデータは日本を含む約120カ国（地域）が発表しているもので、「信用できない」中国の統計データではありません。そして、各国は中国との貿易において量だけではなく、質の点でも改善が進みつつあります。この点だけでも、中国経済の近年の持続的な成長を証明できるのではないでしょうか。一方、政治と社会について、主観が入る余地が多いため、有意義な議論ができる可能性はどうしても低くなります。例えば、西側諸国は自由・民主・人権・選挙などをよく口にしますが、「選挙とは何のために行うのか」「民主的であるとはどういうことか」「自由の意味とは何か」「人権をどのように定義するのか」などについて、西側諸国の国民は真剣に考えたことがあるのでしょうか。これらの問題に対して明確な答えが存在するのでしょうか？　西側諸国の国民こそ、自由・民主・人権・選挙などを軽く語っているのではないでしょうか？　本当の中国はどういう社会で、西側諸国の本当の姿がどんなものであるか、説明できる人はいるのでしょうか？　選挙があるという点だけで本当に民主国家といえるのでしょうか？　選挙の裏で何が動いているのかを知っている人がいるのでしょうか？　そして西側諸国は、何のために

国内外に向いて自由・民主・人権・選挙などを声高に叫ぶのでしょうか？　例えば、他国を植民地化するためではないでしょうか？これらの疑問に対して、この第二部では少しでも答えを追求したいと思います。

第二部では、筆者の主観を自覚しつつ、できるだけ客観的に中国文化を紹介したいと思います。中国の政治制度・社会システム・価値観を分析し、そこから今後の変化と発展を予想し、最後に私自身が考えた将来の中国の政治改革モデルを提示したいと思います。

第一章

中国の政治制度と独裁政党である中国共産党

中国政治制度の最大の特徴

中国には、選挙がほとんど存在せず、共産党が唯一の指導与党です。主に、この一点だけで、西側諸国は中国を「共産党独裁国家」と呼んでいます。

では、なぜ中国は「共産党独裁国家」になったのでしょうか？

歴史的観点から見ると、中国共産党は1949年、今の台湾の野党である中国国民党との内戦の勝利によって、選挙がない唯一の指導与党としての政治制度を作り出しました。それ以後、今日まで73年が経ちました。

なぜ、この「独裁政治システム」がこのように長期間、存在しているのでしょうか？

中国共産党が巨大な力を持っているから、というのは1つの考え方です。行政・司法・立法などの権限は最終的に、共産党だけが掌握しています。更に、軍隊の指揮権も中国共産党だけが保持しています。1979年の改革開放を開始する以

前は、全国民の経済に関する権限すら、共産主義の名の下、共産党政権が厳しく管理していました。改革開放後、民間経済の発展と共に、中国国民は経済の自由を少しずつ手に入れました。

もう1つの考え方は、一度巨大中国の政治システムができあがると、その巨大な政治システムを変えることは簡単にはできないということです。清英アヘン戦争の1840年代から日中戦争の1940年代まで、巨大国家である中国は民族存亡の大変な時期にありましたが、国を改革して、厳しい状況に対応できる新しい力強い政治社会システムの構築はなかなかできませんでした。現在、中国は14億の人口と56の民族を有する巨大かつ複雑な国です。そのため、政治システムの革命は難しいでしょう。

しかし、現在の中国社会の安定は、「共産党の力が強い」ことと「中国の政治システムの改革が難しい」ということからもたらされたものでしょうか？　中国の長い歴史を見ると、王朝が次々と変わっていることがわかります。つまり、昔から中国人は社会的不平等を強く感じた時、政権（既得権力者階級）と戦ってきたという伝統があります。これは我々中国人の血に流れている伝統です。2000年前の『史記』には、「王侯將相　寧有種乎」という言葉があります。この中国人の血の中に流れている「革命」の伝統を考えると、今の中国社会の安定は、中国国民が現状に対して、革命を起こすまでの不平等と怒りを感じていないからではないでしょうか。言い換

えれば、ほとんどの中国国民が現在の中国共産党政権を支持していることです。これが第3の考え方です。

更に、思想論で深く考えてみましょう。中国共産党と中国国民は、共通の思想と理念を持っています。それは、マルクス主義に基づく共産主義社会を実現することです。中国共産党が中華民族・中国国民のこの共同思想を共有できなくなれば、共産党政権の崩壊が始まるでしょう。これが、第4の考え方です。

中国共産党は選挙のない唯一の政権与党ですから、「独裁政党」と呼ぶのは反論できない事実です。一方、ほとんどの中国国民に支持され、理念や思想までを共有することは、「民主的」だといえるのではないでしょうか。この矛盾が客観的に存在するため、本書では中国を「独裁国家」とも「民主国家」とも、中国共産党を「独裁政党」とも「民主政党」とも表現しています。

以上の分析から、本書が考える今の中国の政治制度の最大の特徴は、選挙がほとんどなく、中国共産党が唯一の独裁与党だということ、それと同時に、ほとんどの国民に支持されている共産党の独裁と指導の下、共産主義社会の実現が中国国民と中国共産党の最終目標と、共同理念だということです。

本書では、今の段階での中国の「共産主義」とは、財産の一部または全部を共同所有することで、格差のない、平等な社会を指します。「共産主義」の定義は今後も、時代と共に更に変化していくでしょう。

中国共産党と社会主義法治国家

2018年の年末時点での中国共産党の党員数は約9059万人でした。うち女性は3割弱の2467万人でした。学歴別では大卒以上が4494万人で、ほぼ半分を占めています。今後の中国経済と教育の発展と共に、大卒以上の共産党員の割合はどんどん増えていくでしょう。

中国共産党員は中国社会のエリートです。行政、立法、司法、軍、企業体、大衆組織など、社会のあらゆる部門に共産党の末端組織である「党組織」を設けています。共産党員になるためには厳格な審査があり、一般の人が簡単になれるものではありません。例えば、大学で成績優秀だったり、社会・政治に関して積極的に活動した大学生が、入党申請書を出し、長い入党活動を経て、複数回の審査に通れば、共産党員になることができます。一方、権力を独占する政権与党の一員になることで、利益を得られる可能性もあります。改革開放以降、多くの中国国民は共産主義理念のためではなく、金銭と権力のために入党したと推測できるでしょう。

中国共産党は中国の唯一の政権与党ですから、中国の法律システムも事実上、共産党によって支配されています。2018年の憲法改正により、憲法第1条に“中国共産党の指導は、中国の特色ある社会主義の最も本質的な特徴である”と書いてあります。つまり、中国には、選挙がなく、共産党が唯一の与党であると憲法で規定されています。地方政府の不

正などに対する中国国民の抵抗活動はある程度許されていますが、天安門事件のような中央政府・共産党政権全体に対するものは許されません。1989年、当時の政権の無能・腐敗や社会の混迷、国民の素質の低さは天安門の悲劇をもたらしました。2022年でも、ゼロコロナ政策に対する国民の「白紙抗議」も、政権の能力の無さと権力の濫用、社会の法治レベルの低さ、そして抗議する国民の素質の低さが再び現れました。全ての中国国民が所有する今の中華文明のレベルの低さが露呈し、今後改善改革し続けないといけないでしょう。共産党の統治に対して反対すれば、憲法第一条に抵触することになります。どうしても共産党政権を打倒したいなら、憲法改正が第一の目標になります。しかし、事実上、共産党だけが憲法を改正する権力を持っているため、中国国民は憲法改正の権利がありません。暴力革命は最後の手段ですが、共産党が軍隊の指揮権を持っている現状を考えると、実現は難しいでしょう。

選挙がほぼ存在しないという点と、中央政権に対する反対活動が違法だという点が、中国が、自由・民主主義・人権がない国だと批判される最大の原因でしょう。

今後は恐らく、立法権と司法権を持つ共産党政権は法律を武器にして、法治国家になるという名目で、より国家統制を強めていくでしょう。言い換えれば、今後、中国は社会主義法治国家を目標とし、社会システムの法治化をどんどん進めていくでしょう。

立場が異なれば、中国が法治国家を目指すことに対する考え方も違うでしょう。反中国の人にとって、中国が法治国家へ進んでいくことは国家統制を強めることで、より中国の独裁化が進むのではないかという批判もあるでしょう。祖国を愛している中国人の立場としては、共産党政権と戦いながら、中国の憲法を守り、社会主義法治国家になることを追求し、最終目標である、より自由で民主的な共産主義社会の実現を目指します。この意味では、社会主義法治国家は中国の改革開放で導入した資本主義政策と同様、中国の目標ではなく、共産主義社会を実現するための手段にすぎません。自由民主的な共産主義社会を実現する前に、共産党の独裁を少しでも抑えるため、更に中国の権力システムと社会システムの維持コストを少しでも軽減するため、今の中国は途中段階としての社会主義法治国家を目指すべきでしょう。将来実現されるであろう中国共産主義社会は、より文明度が高い社会ですので、わざわざ共産主義「法治国家」と呼ぶ必要がなくなるかもしれません。

第二章

独裁者である中国共産党の最高指導者たち

中華伝統文化の影響と共産党独裁政権が存在する限り、中国には最高指導者が存在するでしょう。共産党は最高指導部と最高指導者を選出し、巨大中国をまとめます。国民の権利は共産党組織に自主的、ないしは強制的に「譲渡」されます。最高指導部と最高指導者は、国民たちから譲渡された権力を代行します。同時に、共産党と国民の間の信頼関係を維持するために、高い素質と能力を持つ最高指導部と最高指導者を選出する義務があります。彼らは選出されてからも日々勉強し、進化していく必要もあります。今の中国は、共産主義理念の下、共産党最高指導部と最高指導者の指導によって、発展・変化しています。

本章では、現在までの各世代の最高指導者を紹介し、彼らの間で継承されてきた事柄と彼らの間にあった批判も分析します。例えば、鄧小平指導部は毛沢東時代の共産主義理念を継承しながら、毛沢東指導部の社会経済政策を批判し、資本主義政策を中国に導入しました。また、最近の習近平指導部は鄧小平時代から始まった資本主義政策を点検し、共産主義

社会を実現するための新しい「共同富裕」政策を慎重に模索し始めています。

第一世代　毛沢東時代（1949～1976年）

毛沢東（1893～1976）は、中華人民共和国の「建国の父」と呼ばれています。

約100年前の1921年7月23日に中国共産党は上海で成立しました。中国共産党と当時の政権与党である中国国民党との協力・闘争・内戦などの歴史を経て、1949年に毛沢東を中心とする中国共産党により、今の中華人民共和国が建国されました。敗れた中華民国の国民党政権は台湾に逃げました。米国の圧倒的な軍事力によって、戦争なき中国内戦状態が今日まで続いています。恐らく、中国の国力の増強と共に、近い将来に中国は統一されるでしょう。また、イギリスの植民地だった香港については、当時の中国は意図的に統一しませんでした。

毛沢東指導部は建国後すぐ、格差のない平等な共産主義社会を目指しましたが、共産主義理論の不完全さと国内経済の弱さ、国際経済や政治環境の悪化などから、実現することはできませんでした。共産党内部の権力闘争も絶えず、経済・政治・社会の改革は上手く進みませんでした。一方、当時の米国陣営・ソ連陣営との関係の悪化から、経済・社会・政治などのあらゆる面で自給自足・自主性を余儀なくされました。

また、1950年代の米国との朝鮮戦争で中国は大きい代償を払いましたが、どんな状況下でも、一国家としての独立性・自主性を有することを世界に強く示しました。

毛沢東時代の主な功績は以下の通りです。

（1）全国民が共有する目標と理念を明確にしました。つまり、格差のない共産主義社会を作るということです。目標の実現には失敗しましたが、目標と理念を国民と共有することができました。

（2）国際環境がどんなに変化しても、中国が独立性を有する完全自主自立的な国家であることを世界に証明しました。

また、毛沢東時代の後期には、周恩来・鄧小平などの実力者がいながら、当時の中華伝統文化と共産主義文化の未成熟さなどが原因で、毛沢東個人を過剰に尊敬し、事実上、準毛沢東個人独裁の悲惨な社会になってしまいました。これは、毛沢東個人にも責任がありますが、周恩来・鄧小平をはじめ、当時の全ての中国国民の責任も重大です。そして、重要なのは、これを教訓にして、毛沢東時代以降、独裁は絶対に許さないという認識と責任を全国民が共有しました。現在、中国国民は国家権力の行使権利を共産党政権に譲渡しましたが、国家権力に対する責任は譲渡できません。共産党政権は独裁権力を行使していますが、国民は独裁権力の所有権を保持している責任があり、常に独裁権力を監視すべきです。共産党独裁が存在する限り、共産党も国民も共に、「国家独裁権力」を慎重に行使し、かつ厳しく監視・監督しなければなりませ

ん。この教訓は、毛沢東時代の第3の功績だといえるでしょう。

第二世代　鄧小平時代（1978 ~ 1992年）

鄧小平（1904 ~ 1997年）は、彼の能力によって、毛沢東死後、事実上の最高指導者になりました。1978年まで、鄧小平は3回も失脚しましたが、1978年74歳の時、見事に政治の表舞台に返り咲きました。晩年の毛沢東もそれを予想していたと思われます。毛沢東の準独裁時代、鄧小平はどんなに役職を失っても、命の危険にさらされることもなく、共産党員の資格も変わらず有していたからです。つまり、晩年の毛沢東は、高い能力と素質を有する鄧小平の政治復帰を希望していたと思われます。

1978年に、「文化大革命」の失脚から返り咲いた鄧小平は、自身を中心とする指導体制を確立し、毛沢東時代の革命路線から改革開放と現代化路線へと大きく政策を転換しました。そして、1981年に「文化大革命」を完全に否定し、毛沢東をはじめ鄧小平自身も含む毛沢東時代の最高指導部の誤りも認めました。改革開放や一人っ子政策などを打ち出して、毛沢東時代の政治中心の政策を転換し、現代中国の経済中心の路線を築きました。

鄧小平時代、中国共産党の存在意義と最終目標が、共産主義社会の実現であることを再確認しました。そして、最終目標を実現するための短期目標と手法が、資本主義政策の導

入であり、社会の富を増やすことであると考えました。一方、最終目標・存在意義と短期目標・実現手法の矛盾によって、当時中国社会には激しい摩擦が起こりました。鄧小平は、この社会問題を抱えながら、長い時間をかけ、経済を発展し、共産主義理論を深化することによって、この矛盾と摩擦を解消するしかないと考えていたでしょう。当時の鄧小平指導部は崩壊しつつある中国経済に直面し、この矛盾と摩擦を丁寧に解決する時間的な余裕がなく、大胆な改革を進めながら、この矛盾と摩擦を現場で対処する覚悟を決めました。1979年7月、中国は香港と隣接する広東省の深圳に経済特区を設置しました。経済特区に限って、当時社会主義中国の許せる範囲内で最大限の自由を与えました。経済特区に資本主義手法をどんどん導入し、経済面での成功が証明できたら、それを更に全国に広げます。これによって、外資導入による輸出志向型工業化政策と資本主義手法は、その後、全国に展開し、極めて大きな経済成果を収めました。

一方、改革開放の流れの中で共産党の指導体制は改革派と保守派に分れました。1980年代後半から党機構と行政機構の分離も盛んに議論されるようになりましたが、1989年に起きた天安門事件以降、保守派は息を吹き返し、国家体制の安全を優先する共産党独裁指導体制が再び強化されました。以降、党機構と行政機構が現在まで一体化しています。しかし、天安門事件後の1989年と1990年、年平均約10%だった経済成長がスピードダウンし、経済改革も政治改革も方向

性を一時的に失いました。1989年の天安門事件をきっかけに、政界を引退した鄧小平は、党大会前の1992年春、88歳の時、広東省・上海市などを視察し、「南巡講話」を発表し、メディアを通して、当時の江沢民最高指導部に「改革開放を加速せよ」と指示を出しました。鄧小平の「鶴の一声」で、1992年の党大会で、当時の江沢民指導部は「中国式資本主義」政策を「社会主義市場経済」政策と名づけ、明確に打ち出しました。この「南巡講話」は鄧小平が中国に残した最後の功績ともいえます。「南巡講話」以降、鄧小平は高齢のため、政治の表舞台からほぼ姿を消しました。1997年2月19日、93歳で、亡くなりました。カリスマ指導者毛沢東と鄧小平がいなくなった中国は、その後、民族の全ての知恵を絞って、共産主義思想を研究し続け、慎重に前へ進んでいきます。

鄧小平時代、国力では米国に遥かに及ばないため、台湾を統一することができませんでした。一方、植民地である香港については、イギリスと戦争して、香港をイギリスの独裁から早く解放することはできますが、香港の平和のため、1997年7月1日まで待ち、「一国二制度」の下、香港に平和的に中国式の自由民主制度を導入することができました。残念ながら、「一国二制度」を堅持・推進していた鄧小平は解放後の香港の地に立つことができませんでした。一方、「一国二制度」の香港は英米の価値観が残り、中国人主導の香港社会の自由民主化は1997年後も長い、厳しい道のりが待っているでしょう。

鄧小平時代の1980年、中国の名目GDPは3053億ドル、1人当たり名目GDPは309ドルでした。鄧小平が亡くなった1997年、中国の名目GDPは1980年の約3倍の9653億ドルまで、1人当たり名目GDPは1980年の約2.5倍の781ドルまで成長しました。ちなみに、1997年の日米の名目GDPはそれぞれ44147億ドルと85776億ドルで、1人当たり名目GDPはそれぞれ35035ドルと31440ドルでした。日米の経済規模の大きさと技術の強さ・社会の豊かさの前に中国は比べるべくもありませんでした。

鄧小平時代の功績は、毛沢東時代に確立した共産主義社会の目標を継承しながら、目標を実現するための道筋を明確にかつ柔軟に提示したところにあります。つまり、改革開放の理念の下、資本主義政策を取り入れ、貧富の格差も容認し、まずは全力で国全体の富を増やします。国の富をある程度増やしてから、「共同富裕」の方法を模索し、最終的に共産主義社会を実現しようとしました。

ちなみに、鄧小平は毛沢東と同じくらい、中国国民の信頼と威信を集めましたが、毛沢東の準独裁の誤りを教訓に、在任中、表舞台でのトップの地位を求めませんでした。鄧小平の最高の役職は国家副主席と国務院副総理だけでした。更に、自らの手で、政治家の終身制も廃止し、自らも高齢になったら、早めの引退を決意していました。結果的に、鄧小平は、個人としては独裁的な力を持ちましたが、独裁者にはならなかったのです。更に、今後の最高指導者が独裁者にならないよう

な「民主集中制」政治システムを明確に構築し、後世に残しました。

第三世代　江沢民時代（1989～2002年）

江沢民（1926～2022年）は江蘇省揚州市に生まれました。大学在学中の1946年、中国共産党に入党、1947年に上海交通大学を卒業後、上海市益民食品第一工場や上海市石鹸工場でエンジニアとして働いていました。1953年に、第一機械工業部上海第二設計分局電力専業科長になり、1954年には長春第一自動車製造工場に移り、動力処副処長、副総動力師、動力分廠廠長を歴任しました。1962年、上海に戻り、第一機械工業部上海電器科学研究所副所長となり、1966年、第一機械工業部武漢熱工機械研究所の所長兼党委員会書記代理に任命されました。同年に起こった文化大革命では実権派として攻撃されたものの、「革命烈士の子弟」とされたため、処分は免れました。1970年、北京に移り、第一機械工業部外事局副局長に任命され、1972年、局長に昇任しました。1980年8月、国家輸出入管理委員会副主任（次官）兼秘書長となり、翌月には国家外国投資管理委員会副主任兼秘書長も兼務し、貿易・外国投資に関する業務を担当しました。1982年5月、新設された電子工業部の第一副部長（副大臣級）に任命されました。

1982年、56歳の江沢民は第12回党大会で「第三級指導部」

の党中央委員会の委員に選出されました。1983年、電子工業部部長（大臣）に就任後、1985年、上海市長に選出されました。1987年、61歳の江沢民は「第二級指導部」の中央政治局委員兼上海市党書記に昇進しました。

1987年から1989年の間、中国の政治状況は大きく変動していました。当時の最高指導部である中央政治局常務委員会の5人のメンバーの内、№1の党総書記である趙紫陽を含む2名は、天安門事件の責任者として、失脚しました。1987年に上海で発生した学生の民主化運動の際、江沢民は学生たちと直接対話し、説得したという実績がありました。天安門事件後、63歳の江沢民はこの功績などを評価され、政治局委員から、最高指導者に抜擢されました。このように、江沢民は共産党入党後、40年以上の歳月をかけて能力を高め、実績を重ねた結果、評価され、最終的に最高指導者になりました。

1992年と1997年の党大会で江沢民は党総書記に再任されました。鄧小平死後の1997年の党大会では、鄧小平理論を共産党の指導思想として確立し、名実共に江沢民時代に入りました。

江沢民時代の初期である1989年、中国の名目GDPは4611億ドル、１人当たり名目GDPは409ドルでした。江沢民時代の最後である2002年の中国の名目GDPは1989年の約3.2倍の14775億ドルまで、１人当たり名目GDPは1989年の約2.8倍の1150ドルまで成長しました。そして、2002年の日米の名目GDPはそれぞれ41151億ドルと109365

億ドルで、１人当たり名目GDPはそれぞれ32301ドルと37971ドルでした。中国は経済規模で少しだけ日米に近づきました。

江沢民時代の功績は鄧小平時代に示した共産主義社会を実現するための道筋を堅持し、実行に移すことで、国の富を増やしました。鄧小平時代の改革開放理念を継続し発展させ、中国社会主義市場経済（つまり資本主義経済）の確立と発展が中国社会の短期目標と手法であるという認識を共有できました。

第四世代　胡錦濤時代（2002～2012年）

胡錦濤は1942年に、安徽省の普通の家庭に生まれました。1959年、清華大学水力エンジニアリング学部に入学し、1964年、共産党に入党しました。1965年に清華大学を卒業後、同学部の政治指導員として大学に残り、仕事をしながら大学院に進学して研究を続けました。1968年、胡は水利部に配属され、甘粛省劉家峡ダム工事支局（813支局）の土木建築の作業技師として働くことになりました。1970年、胡は813支局長の秘書に抜擢され、仕事場も技術課から支局党委員会の事務室に移りました。1971年、胡は813支局党委員会副書記に抜擢され、その後、1974年には甘粛省建設委員会主任室専属秘書として働くことになりました。仕事場から30メートルほどのところにある2DKの職員用宿舎を借り、

家族4人で暮らし始めました。1975年、幹部会議の討論を経て、設計管理部長に任命され、1980年、建設委員会副主任に栄転し、副局長クラスの幹部となりました。

そして、1980年、胡は有能な若手党員の一人として、甘粛省党書記である宋平の推薦により、甘粛省の共産主義青年団（共青団）の委員会書記に就任しました。1981年、甘粛省党委員会は、胡錦濤を、中国共産党中央党校にて共産党の高級幹部になるための理論訓練を受けさせることを決定しました。1982年の党大会で、40歳の胡は「第三級指導部」の党中央委員候補に選出されました。その後、胡は甘粛省共青団書記兼甘粛省建設委員会副主任を経て、1982年12月、中央共青団書記処書記に昇進し、政治の中心である北京でのキャリアを始めました。1984年に共青団中央書記処第一書記に昇進し、共青団の事実上のリーダーとなりました。1985年からは、北京での幹部から地方の共産党のトップとしての試練が始まりました。1985年7月、胡錦濤は、当時の胡耀邦党総書記によって貴州省党書記に抜擢され、更に9月には党中央委員候補から順調に党中央委員に昇進しました。1988年、趙紫陽総書記は、胡錦濤を重要地域チベット自治区の党書記に指名しました。

1992年の第14回党大会が行われる前に、鄧小平や陳雲など党長老たちは、将来の江沢民を中心とする「第三世代」から「第四世代」へスムーズに権力の移譲を行うために、「第四世代」の後継者の選出に着手しました。鄧小平は「第四世

代」を代表する50歳以下の人物を将来の最高指導者として選出することを提案しました。この時、長老の1人である宋平が胡錦濤を推薦しました。何人かとの激しい競争の結果、胡は「第二級指導部」の政治局委員を飛ばして、「最高指導部」の党中央政治局常務委員に選出され、同時に党中央書記処書記にも選出されました。つまり、1992年当時、すでに鄧小平らによって、江沢民時代の次は胡錦濤時代であると決められていたのです。

2002年の第16回党大会で権力の移譲が行われ、江沢民が権力の中心から退き、胡錦濤は党総書記に選出されました。胡錦濤も江沢民と同じく、約40年の党内での訓練を経て、共産党組織に評価され、最高指導者になりました。以降胡錦濤は最高指導者として、巨大中国を改革していきます。

胡錦濤は、温家宝国務院総理と共に「科学的発展観」理論に基づき、鄧小平が提唱した改革開放政策での高度経済成長に起因する格差の拡大や環境汚染による公害などの問題に取り組み、「和諧社会」「小康社会」というスローガンを掲げて所得格差の是正と安定成長に努めました。輸出主導の大量生産社会から、海外向け大量生産と内需の拡大を両立させる社会への緩やかな転換を目指しました。

胡錦濤時代の初期の2002年、中国の名目GDPは14775億ドル、1人当たり名目GDPは1150ドルでした。胡錦濤時代最後の2012年、中国の名目GDPは2002年の約5.8倍の85704億ドルまで、1人当たり名目GDPは2002年の約5.5

倍の6329ドルまで成長しました。そして、2012年の日米の名目GDPはそれぞれ62032億ドルと161971億ドルで、1人当たり名目GDPはそれぞれ48633ドルと51556ドルでした。第四世代の胡温体制で、中国の1人当たり名目GDPはまだ日米に大きく及びませんが、日米と比較できるような位置にまで上がってきました。そして、名目GDPでは世界2位となり、世界における中国の影響力は大きくなり始めました。

胡錦濤時代の功績は鄧小平・江沢民時代の改革開放理念を継承しながら、中国社会を発展させ続けたことです。そして、長年の経済発展の成果により、鄧小平指導部と江沢民指導部の資本主義政策を批判でき、格差是正の新政策を打ち出し、毛沢東時代からの理念である共産主義社会の実現という最終目標に向けた最初の試みをスタートさせ、後に習近平指導部に渡しました。胡錦濤時代以降の中国の各時代の最高指導部は、前の指導部の理念や政策を批判・改善しながら、最終理念である共産主義社会の実現のため、新しい共産主義政策を模索していくでしょう。

第五世代　習近平時代（2012～2027年）

習近平は1953年に陝西省で生まれました。父親は元高級幹部、約25人で構成する「第二級指導部」の党中央政治局委員会のメンバーである習仲勲です。中国版の「世襲指導者」に当たります。1965年、習は北京市八一中学校に入学

しました。文化大革命中の1969年から7年間、陝西省延安市延川県の農村に下放されました。1974年に共産党に入党し、下放された農村で生産大隊の党書記を務めました。1975年、習近平は清華大学化学工程部に入学、1979年に卒業した後、耿飈国務院副総理の秘書をかけ持ちで務めました。

1982年、29歳の習近平は河北省正定県党副書記になり、翌年、正定県党書記になりました。1985年、福建省廈門市副市長になり、1990年には福建省の省都である福州市の党書記、2000年に47歳で福建省の省長になりました。2002年、49歳で浙江省党書記に就任しました。2006年に上海市党書記陳良宇（ポスト胡錦濤だといわれた人物）が上海市の大規模な汚職事件で罷免されると、2007年、習近平は上海市党書記に就任しました。2007年党中央委員会において、習は「第二級指導部」の中央政治局委員を飛ばして、一気に「最上級指導部」の中央政治局常務委員まで昇格するという「二階級特進」を果たしました。更に、中央書記処常務書記と中央党校校長にも任命されました。この時点で、習近平は次期最高指導者になるのがほぼ確実となったのです。

2012年の党大会で、胡錦濤・温家宝ら第4世代の指導者は引退し、習近平は政治局常務委員に再選され、党の最高職である中央委員会総書記と軍の統帥権を握る党中央軍事委員会主席にも選出されました。2013年習は国家主席にも選出され、党・国家・軍の三権を正式に掌握しました。そして、李克強を国務院総理（首相）に任命し、中国共産党の第五世代であ

る習李体制が本格的に始動しました。

習近平もやはり、約40年の党内訓練を経て、共産党組織に評価され、最終的に最高指導者になりました。江沢民と胡錦濤は、政治基盤が弱く、黙々と政治の仕事を続ける中でその能力が評価され、最高指導者となりました。一方、習近平は、江沢民や胡錦濤とは異なり、一種の中国版世襲問題があります。幸いなことに習近平は、1969年から1975年の7年間にわたり農村生活を送ったことで、中国の実態を十分に経験し、庶民生活と乖離するようなことはありませんでした。国民側としては、最高指導者の習近平の父親が元「第二級指導部」の中央政治局委員であることに対して、警戒すべきでしょう。共産党上層部で「世襲」が起こることは、あってはなりません。

2013年、習は国家主席として就任演説を行い、「中華民族は5千年を超える悠久の歴史を持ち、中華文明は人類に不滅の貢献をしてきた」「中華民族の偉大なる復興という中国の夢を実現するため、引き続き奮闘、努力しなければならない」と述べ、民族復興を国民に訴えかけました。更に、「5年後」の米中経済全面戦争に備えるため、経済外交政策においてはアジア・ヨーロッパ・アフリカにまで及ぶ広大な経済圏構想である「シルクロード経済ベルトと21世紀海洋シルクロード」(一帯一路)を打ち出しました。「将来のいつか」発生するかもしれない米中全面軍事戦争のリスクに対しても、防衛政策と国防準備を着々と進めています。

2017年の党大会では、第六世代から「最高指導部」の政

治局常務委員を選ばず、より習近平に権力が集中した2期目の習李体制が発足しました。党規約には「習近平による新時代の中国の特色ある社会主義思想」（習近平思想）を明記し、習が唱えてきた一帯一路、中国の夢、人類運命共同体といったフレーズなども党規約に盛り込まれました。

2018年の全人代では、国家主席と国家副主席の２期10年とする任期制限を撤廃して、習近平思想を盛り込む憲法改正案を賛成2958票・反対２票で成立させました。このことから、習近平は江沢民と胡錦濤の２期10年の最高指導者在位期間の慣例を破り、３期15年の最高指導者になると予想されました。

政治基盤がより強くなった習近平は「最高指導者３期目構想」「共同富裕」「台湾統一」などの対策を2022年から着々と実行すると考えられます。

現在、中国は購買力平価で、米国を上回る世界最大の名目GDPを有する国家となり、富裕層と中産階級の人数でも米国を超えたといわれています。軍事力と経済力を高めた習政権下の中国では、貿易・ファーウェイ・南シナ海・香港・台湾・新疆など軍事・経済両面で広範にわたる米中対立が起こり、米中冷戦や米中経済戦争とも呼ばれることとなりました。このまま米中経済の分離・断絶が進むと、米中両国の共同利益がどんどん減っていき、近い将来、米中軍事戦争が起こってもおかしくないと思われます。

習近平時代の初期の2012年、中国の名目GDPは85704

億ドル、1人当たり名目GDPは6329ドルでした。習近平時代2期目の最後の2022年、中国の名目GDPは2012年の約2倍の168842億ドルまで、1人当たり名目GDPも2012年の約2倍の12059ドルまで成長すると予想されます（表1-4、1-5）。2022年の日米の名目GDPはそれぞれ53107億ドルと226511億ドルで、1人当たり名目GDPはそれぞれ42084ドルと68732ドルと予想されます（表1-4、1-5）。第五世代の習李体制で、中国の1人当たり名目GDPは日米に更に近づきます。そして、中国の名目GDPは日本の3.2倍、米国の74.5％まで成長してきます。世界における中国の影響力は更に大きくなります。

また、習近平時代3期目の最後の2027年、中国の名目GDPは220669億ドルまで、1人当たり名目GDPは15760ドルまで成長すると本書は予想します（表1-4、1-5）。その時の日米の名目GDPはそれぞれ55816億ドルと250087億ドルで、1人当たり名目GDPはそれぞれ44231ドルと75885ドルと予想されます（表1-4、1-5）。経済の豊かさと先進性の指標である1人当たり名目GDPはまだ日米に及びませんが、経済規模の指標である名目GDPではそろそろ米国を超えそうになるでしょう。

習近平時代の功績は鄧小平・江沢民時代の改革開放理念を継続・発展させながら、胡錦濤時代からの格差是正の政策も継続し、貧困をなくす政策と共同富裕政策に着手し、毛沢東時代からの共産主義社会を実現させるという中国国民との共

同理念に更に近づいたことです。中国は、半共産主義国家といえるような国家になりつつあり、近い将来、完全な共産主義国家になるという夢が実現するでしょう。

習近平の治国理政

(一)「法治」で社会改革

2014年、党中央委員会で、習近平は「全面依法治国」として法治主義を掲げて「法治」という言葉を58回も使って中国を人治国家から脱却させることを訴えました。勿論、中国が成熟した法治国家になるには長い道のりが必要で、習近平時代で実現可能なことではありません。国民と共産党の両方が努力しなければ達成することはできないでしょう。近年の中国経済の著しい成長に伴い、「法治国家」としての土台の完成は近づいています。今後の中国では「法治国家」に向けての社会改革が更に加速するでしょう。

(二)「人治」で反汚職と反腐敗対策

1980~2019年までの40年間で、中国経済は年平均9.4%で成長し、中国の富は急速に増加しました。一方、社会の富の急増と共に、共産党自体の成長と改革は遅れており、急増した中国社会の富に対して対応できなくなりました。結果的に、共産党内部の汚職や腐敗がひどくなりました。現在の中国は「法治国家」と呼ぶにはまだ程遠い段階であり、「人治」

で何とか政権の汚職や腐敗を改善し、国民の不満を軽減し、社会の安定を保ち、「法治国家」になるまでの改革の時間を稼いでいる状態です。

習は就任後、深刻化している政権の汚職や腐敗問題に取り組み、「大トラもハエも一緒にたたけ」と反腐敗の号令をかけました。習は党内の腐敗が中国を滅ぼすとの強い危機感を訴え、汚職・腐敗の撲滅が共産党政権の安定と継続を保証するとの固い決意で取り組み始めました。2014年から、軍事委員会元副主席である徐才厚と郭伯雄、元「最高指導部」のメンバーである周永康、薄熙来重慶市党書記、周本順河北省党書記、蘇樹林福建省省長などが逮捕されました。

腐敗は、中国共産党が長年抱えている重大な問題です。現段階では、どんなに厳しく取り締まっても、中国政権の腐敗を根本から解決することはできないでしょう。なぜなら、その根底には、権力による独裁が存在し、加えて資本主義政策を導入した改革開放時代に入党した共産党員の多くは、共産主義理念のためではなく、金銭と権力のために入党しているからです。社会の安定のため、今の共産党政権は腐敗に対して真摯に対応するしかありません。中長期的には「法治」で対応すべきですが、短期的には、現段階の中国社会の法治レベルを正しく認識し、法治と人治の両方から対応すべきでしょう。共産党による党員への監視を強化し、更に、「法治」を進めることによって、法律という武器を使い、腐敗を厳しく対応します。経済成長と共に、官僚制度の改革を行い、官

僚の待遇を大幅に改善して、腐敗や汚職に手を染めないようなインセンティブも作るべきでしょう。また、今までは、権力の源である国民の力を活用することはできませんでしたが、今後の経済発展と共に、国民の権力意識は益々高まっていくでしょう。おのずと、政権と権力に対する期待は高まり、監視も強くなります。その期待と監視に対応することができなければ、社会は不安定になるでしょう。今まで発揮できなかった国民の力は、今後の汚職・腐敗撲滅のために、大きく役に立つのではないでしょうか。SNSの普及も、国民の力を後押しするでしょう。私は今後も、中国の法律を遵守する上、末端の村幹部から最高指導者である習近平まで厳しく監視し、事実と科学に基づいて積極的に発言し、毅然とした態度で独裁権力と戦っていきます。そして、中国社会の法治システムの未成熟な現実を認識し、慎重に「人治」で汚職・腐敗対策を行う共産党独裁政権に協力したいと考えています。

(三) 反貧困（格差是正）と共同富裕政策

2015年、習近平は「貧困を解消し、庶民の暮らしを守ることは、中国社会主義の本質的な要求であり、共産党の重要な使命だ」と演説し、脱貧困を中国の最優先の課題としました。「脱貧困」の推進は、鄧小平以来の改革開放路線が曲がり角に来ていることも示しています。1980年代の社会主義の大義に縛られず市場経済（資本主義）を導入するという鄧小平による現実的な考え方は、「まず一部の人々を豊かにさ

せ、豊かになった者がその後、他の人々を引き上げて共同富裕を目指す」という「先富論」として知られました。今回の習による「脱貧困」政策は、一部の人々を豊かにさせるという段階から、次の全ての国民を「共同富裕」にさせるという段階に入ったということだと考えられます。「共同富裕」を目指すことが、発展優先の路線から、共産主義の理念を優先する方向への転換となるのではないでしょうか。つまり、今の中国は、「共産主義社会」実現のための経済力を保持しつつあり、今後やっと、共産主義の夢に向かって歩き出すのです。莫大な資本と人員の投入によって、2020年には中国社会の貧困問題は概ね解消しました。その後、不動産産業・学習塾産業・IT産業などについて、共同富裕の理念の下、共産主義改革への第一歩も踏み出しました。勿論、「共同富裕」実現への道は長くて難しいものでしょう。社会主義と資本主義の関係、言い換えれば、経済発展の公平性と効率性をより融合させ、かつ競争的なものにしなければなりません。この難しい挑戦に対して、習近平思想を含む中国モデルの共産主義思想の一層の発展が必要です。共同富裕と共産主義は、必ずしも平均主義・平等主義ではありません。

日本は中国に先行して、農協、漁協、地方交付税など、さまざまな相互扶助の政策を取りました。広く捉えると、9年間の義務教育、相続税、固定資産税、国土強靭化政策、国民皆保険、年金、失業対策なども一種の共産主義政策ではないかと私は考えます。日本は、これらの政策によって社会格差

の広がりを抑えています。中国は、日本や欧州などの先進国で行われているこのような民主的政策を参考にしつつ、独自の共産主義政策を策定し、共産主義社会の最終目標に向けて慎重に進めていくべきでしょう。

(四) 権力闘争

江沢民は1926年生まれ、63歳の1989年に天安門事件で失脚した趙紫陽に代わり最高指導者になり、1992年、66歳の時と1997年、71歳の時に最高指導者に再び選出されました。胡錦濤は1942年生まれ、2002年、60歳の時と2007年、65歳の時に最高指導者に選出されました。習近平は1953年生まれ、2012年、59歳の時と2017年、64歳の時、2022年、69歳の時に最高指導者に選出されました。

中国共産党は歴代の最高指導者を「核心」と呼んできましたが、胡錦濤時代は集団指導体制を唱え、この呼び方を止めました。胡錦濤は第四世代の最高指導者でしたが、当時の事実上の集団指導体制は、中国共産党中央政治局の9人の常務委員によって組織されていました。一方、9人という異常に多い人数は、当時の最高指導部の意思決定の難しさと権力闘争の激しさも表しています。胡錦濤は歴代の中で最も弱い最高指導者でした。同時に、中国共産党は胡錦濤時代に、総書記の1人独裁体制ではなく、中央政治局常務委員会による集団指導体制を１つの方法として実験しました。最高指導部に9人の中央政治局常務委員会メンバーがいることで、権力の

集中を分散させることはできましたが、9人のメンバーの意見をまとめることはなかなか難しく、改革は上手く推進しませんでした。まだ法治国家になっていなかった中国は、責任者である共産党の「核心」が不在のため、民主法治と独裁人治、両方の面から当時の腐敗・不正を厳しく取り締まることができませんでした。胡錦濤時代の核心をおかない政治改革は多くの教訓を生み、2012年に再び核心が存在する習近平最高指導部が誕生しました。ここが現段階での中国の最高指導者体制改革の限界です。同時に、今後の経済発展と共に、最高指導者を選出するというシステムを含め、中国の政治システムの改革はゆっくりと進んでいくでしょう。

一方、2022年に世代交代が起こると予想すると、2017年の党大会の時、新しい最高指導部である中央政治局常務委員会には、少なくとも1人は50代の常務委員がいるはずでしたが、蓋を開けてみると全員60代でした。2018年の全人代では、国家主席と国家副主席の2期10年とする任期制限を撤廃する憲法改正案が賛成2958票、反対2票で成立しています。

この改憲案が成立したのはなぜでしょうか。それは、習近平がもう1期、最高指導者を続けるためではないでしょうか？

激しい共産党上層部の権力闘争を経て、2022年から2027年までの最高指導者は習近平のままとなりました。次の世代である第六世代の登場は、今までの予想の2022年ではなく、2027年まで待たなければなりません。

現段階で私たち中国国民は、直接最高指導者を選ぶ権利は

ありません。もし選ぶ権利があるとしても、誰を選ぶかは難しい問題でしょう。現実を認めて、より能力と素質が高く、腐敗に対峙する公正な最高指導者を求め、一時代ずつ、着々と共産主義目標に向いて進みます。

第三章

独裁政党である中国共産党の国家統治

第一章では、中国共産党が憲法上の唯一の政権与党だと書きました。第二章では、建国後の毛沢東時代から習近平時代までの各最高指導者を紹介しました。共産党内での権力の順番は、そのまま国家権力の順番です。本章では、共産党の国家統治メカニズムを紹介します。読者に中国共産党の国家統治メカニズムをわかりやすく説明するため、本書では独自の考え方を提示します。中国共産党は最高指導機関を第四級指導部、第三級指導部、第二級指導部と最上級指導部に分けることによって、短期的な目標と長期的な戦略とを分離し、加えて地方と中央を分けることで、効率良く国家を統治していると分析します。最高指導機関の中の最上級指導部を「最高指導部」と定義します。

独裁組織である中国共産党の最高指導機関

(一) 4層の最高指導機関

中国の憲法では「中国共産党が国家を領導する」と規定さ

れています。つまり、中華人民共和国の統治システムにおいて、共産党の最高指導機関はそのまま、国家の最高指導機関となります。中国共産党の最高指導機関は共産党全国代表大会（党大会）です。本書では党大会を「第四級指導部」、党大会の代表を第四級指導部のメンバーであると定義します。

党大会は通常５年に１度しか開会されないので、党大会で選出された中央委員と中央候補委員から構成され、通常毎年少なくとも１度は開催される党中央委員会が党大会閉会中の最高指導機関としての職権を行使し、対外的に党を代表します。本書では党中央委員会を「第三級指導部」、党中央委員と中央候補委員を第三級指導部のメンバーであると定義します。

党大会が開催される年の党中央委員会の全体会議では、中央政治局委員と中央政治局常務委員を選出します。更に、党中央委員会も、通常毎年1度しか開催されないため、党中央政治局委員会（月に１度程度開催）とその上位機関の党中央政治局常務委員会（週に1度程度開催）が、中央委員会閉会中にその職権を代行します。即ち、中央政治局委員会と中央政治局常務委員会が平常時における党の最高指導権を事実上掌握・行使し、日常的に重要政策を審議・決定します。本書では党中央政治局委員会を「第二級指導部」、党中央政治局常務委員会を「最上級指導部」と定義し、５年に１度改選される党中央政治局委員を第二級指導部のメンバー、同じく5年に１度改選される党中央政治局常務委員を最上級指導部の

メンバーであると定義します。

約2300名から構成される党大会の代表は名義上の中国共産党の最高指導機関の代表です。この約2300名の党大会の代表から「第三級指導部」の約200名の中央委員と約170名の中央候補委員が選出され、約200名の中央委員から「第二級指導部」の約25名の中央政治局委員が選出され、更に約25名の中央政治局委員から約7名の「最上級指導部」の中央政治局常務委員が選出されます。これらは全て、中国の最高指導機関のメンバーですが、事実上約７名の「最上級指導部」の政治局常務委員が全ての国家権力を掌握しています。中央政治局常務委員の独裁的な国家権力の下、中央政治局委員会・中央委員会・党大会は最高指導機関として機能します。そのため、週に１度程度開催される中央政治局常務委員会が中国の「最高指導部」と一般的に呼ばれるのです。

(二) 最高指導部の政策決定

約7人の党中央政治局常務委員から構成される最高指導部はどうやって政策を決定し、党と国家を統治しているのでしょうか。

具体的には、最高指導者である党総書記が中央政治局委員会会議と中央政治局常務委員会会議を招集します。週に１度開催される中央政治局常務委員会は党と国家の「全体局面に関わる活動方針、政策」について議論し、月に１度の中央政治局委員会がその意見に基づいて決定を行います。そして、

中央政治局委員会の決定内容を再び、中央政治局常務委員会によって計画、実施します。更に、中央政治局常務委員会の指導の下、中央委員と中央候補委員が年に１度の中央委員会で１年間の計画を策定し、党大会のメンバーが5年に１度の党大会で5年間、またはそれ以上の期間の計画を策定します。つまり、5年に１度の党大会、年に１度の党中央委員会、月に１度の党中央政治局委員会と週に１度の党中央政治局常務委員会の開催によって、共産党は短期的な目標と長期的な戦略のバランスをとり、56の民族と14億人という人口を有する中国を「民主集中制」で効率良く統治しているのです。

党大会のメンバーたちは共産党の下層幹部であり、地方や軍隊、各国有事業組織などで働いています。党中央委員会の委員たちと候補委員たちは共産党の中間層であり、地方や軍隊、各国有事業組織・中央官僚組織などの責任者です。党中央政治局の委員たちは共産党の上層部であり、重要地域である上海・北京・広東・新疆などの地方党書記と党中央の各分野の責任者です。中央政治局常務委員会の常務委員たちは最高指導部のメンバーとして、中国共産党と中国社会の戦略的な計画を作成し、国家全体の意思決定を行っています。中央政治局常務委員は中央政治局委員よりも高い権威を有しており、中央政治局委員の各担当ポストでの上役であることから、実際の政治過程において中央政治局委員会は、中央政治局常務委員会が提出した意見・決定について意見を述べることはありますが、反対意見によって否決されることは少なく、結

果として中央政治局常務委員会が提出した議案を追認することがほとんどではないかと考えられます。一方、天安門事件、あるいは将来の台湾統一・米中戦争などの国の命運に関わる緊急事態に対して、中央政治局常務委員会がなかなか明確な対策を決めることができない場合、緊急に開催される中央政治局委員会の政治局委員たちの意思が重要になる場合もまれにあるでしょう。

　このように、各層の中国共産党最高指導機関は「民主集中制」で現在の中国を統治し、共産党の独裁を抑え、共産党の民主性と優れた組織力を保証しています。そして、最高指導機関のメンバーたちの素質と能力が常に進化し続けることも求められるのです。

(三) 最高指導部の政策執行

　では、最高指導部はどのように政策を実行し、党と国家を統治しているのでしょうか。

　基本的な流れは以下の通りです。中央政治局常務委員会は、執行機関である党中央書記処（中央政治局委員会および中央政治局常務委員会の事務処理機関、中央政治局常務委員会により中央書記処の構成員を指名する）に対して党内の関係部門へ決定内容の実行を指示します。最高指導者である党総書記が中央政治局常務委員会の代表として、中央書記処の活動を日常的に管理します。国務院・地方・軍隊・各国有事業所などは原則として、中央書記処が出す政策を忠実に実行しな

ければいけません。

(四)民主集中制

中央政治局常務委員会の中で、最高指導者である党総書記は中心的な存在です。しかし、中央政治局常務委員会の意思決定は常務委員たちの全員一致か多数決で決まります。そのような意味では、党総書記は他の常務委員と同じ権限を有しており、この方法で最高指導者の個人独裁を抑えています。他の最高指導機関である中央政治局委員会、中央委員会、党大会の意思決定も多数決で決まります。中国では、このような最高指導機関の意思決定システムを「民主集中制」と呼びます。

上述した４層の最高指導機関は全て「民主集中制」で中国の戦略を決めています。最高指導機関はこのような民主的側面がある一方、組織力にも優れています。勿論、４層の最高指導機関の本質は独裁組織ですから、この独裁性を抑えるため、私たち中国国民一人ひとりが自身の能力と素質を高め、最高指導機関を厳しく監視・監督することが求められています。

今後の中国は、共産党最高指導機関の民主性と独裁性のバランスを微調整しながら、政治改革を進めていくでしょう。数十年後には、経済と政治の発展により、共産党の最高指導機関も共産党自体もなくなり、全ての権力が国民の手に戻るでしょう。その時、社会のシステムはどうなっているでしょうか。今の時代では、答えはまだありませんが、１ついえる

ことは、その時、中国でようやく自由民主的な共産主義社会が実現されるということでしょう。

軍隊と地方

前項では、最高指導機関は独裁性がありながらも、高い民主性と優れた組織力が確保できることについて説明しました。本節では、独裁国家を維持するための軍隊と独裁国家を構成している地方について紹介します。

中国共産党の第四級指導部から最上級指導部までの最高指導機関は、軍隊と地方についても効率良くコントロールしています。

共産党中央軍事委員会は、国家中央軍事委員会と一体になって、中国の軍隊である人民解放軍を指揮する軍事の最高機関です。つまり、事実上、中国人民解放軍は中国共産党が指導する軍隊です。人民解放軍は中国共産党の存続を軍事的な面で保証しています。

党の地方組織には、中央組織のシステムとほぼ同じように、地方各級ごとに共産党の代表大会、委員会、常務委員会、党書記などが置かれています。

地方のトップは地方党書記です。地方政府のトップである省長は地方のNo.2です。更に末端の市・区・県・鎮・村もほぼ同様のシステムです。各地方の幹部たちの任命はほぼ上級指導部の管轄下にありますが、省党書記と省長の任命は最

高指導部が決定します。

このシステムによって、共産党は大都市から農村までを確実に統治しています。例えば、2020年以降のコロナ危機に対して、中国では最高指導機関の下、迅速かつ円滑に対応しました。台湾・南シナ海・尖閣諸島・朝鮮半島などで米国が戦争を仕掛けてきた場合、当面の国力で太刀打ちできない中国は、この優れた組織力を活かして米国と戦えるかもしれません。しかし、組織力が発達する一方、情報の不備・法治の不完全さ・国民権力の衰弱・政権権力の独裁化などの副作用もあり、地方での不正も多発しています。

最近の中国では、経済・政治・社会・IT技術などの進化によって、より良い地方システムを構築する改革が進んでいます。今後も、国民と共産党、両方から、自由・民主・法治などに対する意識の高まりによる地方改革が益々進み、共産党の組織力は更に向上していくでしょう。

第四章

独裁と民主

前述では、独裁者である最高指導者、独裁組織である中国共産党の各級指導部、独裁政党である中国共産党、独裁思想である共産主義思想が同時に中国には存在していることを説明しました。この４つの独裁の存在によって、中国国家は独裁国家、中国国民は独裁国民に変貌しています。

今後の中国はこの６つの独裁に対して、民主化を進めていくでしょう。

国家権力の性質

今の中国の国家権力は事実上共産党だけが掌握しているので、「中国国家独裁権力」と呼ぶのがもっと相応しいでしょう。一方、中国の国家権力が中国国民から由来し、中国国民のためだけに存在しているという理念から、理論上、中国の国家権力を有しているのは中国国民です。この点、今の中国の国家権力は民主的な性質を持ち、「中国国家民主権力」と呼ぶことができるともいえるでしょう。

勿論、形式的な選挙すらないので、中国国民が権力を行使しない、行使できないという現実も直視しなければなりません。つまり、現段階では、中国国民は理論的には国家権力を有していますが、実際に行使することはできません。中国国民が国家権力を自由に、民主的に行使できるような状況を作り出すのは、今後の中国の政治改革における１つの目標でしょう。

今の中国の国家権力の使用権は共産党が独占しているという事実に対して、国家権力を有している中国国民がその使用権を共産党に譲渡したと解釈するのはどうでしょうか。この解釈は今後、更に改善される余地はありますが、例えば、中国国民は本当に国家権力を譲渡したいのでしょうか？　どうやって譲渡するのでしょうか？　なぜ共産党にだけ譲渡しなければならないのでしょうか？　中国共産党は国民から譲渡された国家権力をどの程度民主的に、そしてどの程度独裁的に行使しているでしょうか？　これらの疑問に対しては回答する義務があるでしょう。国家権力に関する問題もその答えも、時代と共に常に変化していくことを認識しなければなりません。

中国国民は、保有する国家権力の行使権利を独裁政党に譲渡することによって、独裁国民に変質します。中国は独裁国民で構成されている点からも、中国は独裁国家になったと言えるでしょう。一方、中国国民は共産党に譲渡した国家権力の使用権について、常にそれを民主的に行使することを要求し、将来的にはそれを必ず共産党から取り戻します。中国国

民は共産党に国家権力の使用権を譲渡しましたが、国家権力の所有権を譲渡することはできないので、国家権力に対する責任から逃れることはできません。つまり、私たち中国国民は自身が独裁国民であることを自覚しつつ、自身の能力と素質を伸ばして、将来の自由民主的な国民になるように努力しなければなりません。

一方、中国共産党は国家権力の使用権を独占し、独裁政党であるということも常に自覚しなければなりません。中国共産党員は9千万人以上も存在しますが、彼ら全員が特別な地位にあり、国家権力を行使できるわけではありません。9千万人の共産党員の内、約370名の中央委員と中央候補委員、約25名の中央政治局委員、約7名の中央政治局常務委員が共産党の上層部として、中国の国家権力の使用権を独占しており、これらの最高指導機関こそ、独裁者組織と呼ばれるべきものです。そして時代ごとに1名の最高指導者が、その時代の共産党の核心として、国家権力の最終的な責任を持ち、独裁者となってきました。

中国の独裁については、共産主義理論によって保証され、強化されています。共産主義理念が国民と共産党の共同理念となることによって、独裁思想へと変貌しています。

このように、今の中国における国家権力の性質は独裁であると認識すべきでしょう。

独裁者であるヒトラー

今の中国の国家独裁の意味をより深く理解するため、ドイツとドイツの元指導者であるヒトラーを例とし、中国共産党とドイツナチ党、中国共産主義思想とドイツファシズム思想を比較したいと思います。

ドイツは共産主義理論の発祥の地です。そのドイツのアドルフ・ヒトラー元指導者は、1889年にオーストリアの普通の家庭で生まれました。

第一次世界大戦まで、ヒトラーは無名の一青年にすぎませんでした。第一次世界大戦直後の1919年、ヒトラーはバイエルン州の民主選挙で、19票を獲得して、評議員に当選し、30歳で政界へと足を踏み入れました。この時期に、ヒトラーは自らに優れた演説能力があることに気づきました。後に、ヒトラーはドイツ労働者党に入党し、優れた能力によって、党内でヒトラー派を作り出し、そして次第に党をまとめるようになりました。1920年、党内協議によりドイツ労働者党の党名を「国家社会主義ドイツ労働者党（NSDAP、ナチ党）」へと改名しました。

1923年、ヒトラーは中央政権の転覆を目指したミュンヘン一揆の首謀者として逮捕され、ナチ党の活動も禁止されました。1924年4月、ヒトラーは禁錮5年の判決を受け刑務所に収容されましたが、その年の12月に釈放されました。1925年、ナチ党は政治活動の制限が解除され、再建されま

したが、大規模集会でヒトラーが政府批判を行ったため、ドイツ政府はヒトラーの自由と人権を奪い、2年間の演説禁止処分を下しました。

1926年2月のバンベルク会議によって「指導者ヒトラー」の指導者原理による党内独裁体制が確立され、ヒトラーは高い政治能力によって、完全にナチ党を掌握しました。1928年、ナチ党は初めての国会議員民主選挙に挑みましたが、黄金の20年代と呼ばれる好景気に沸いていた社会状況の中では支持は広がらず、ナチ党からは12人の当選者を出すことにとどまりました。しかし、1929年の世界恐慌による急激な景気の悪化に伴う社会的混乱に乗じ、ナチ党もドイツ共産党も伸張し、1930年の国会民主選挙ではナチ党が得票率18%、共産党が得票率13%になり、与党であるドイツ社会民主党の得票率24.5%に次ぐ第2党と第3党に成長しました。

1932年、ドイツ国籍を取得したヒトラーは、大統領選挙に出馬し、2番目に多い票を獲得しました。続く1932年7月の国会議員選挙では、ナチ党は37.8%の得票率で、改選前の107議席から230議席と大幅に議席を増やし、改選前に第1党だったドイツ社会民主党を抜き国会の第1党となりました。その後の国会でのさまざまな民主的な権力闘争を経て、1933年1月30日、ようやくヒトラー内閣が発足しました。民主選挙と民主闘争によって、ヒトラーは初めて国家の独裁権力を手に入れたのです。

ヒトラーは就任した30日の談話で、① 国際社会との平和

的な共存、②ワイマール憲法の遵守、③共産党を弾圧しない、といった施政方針を表明しました。内閣発足の2日後に当たる2月1日に議会を解散し、国会議員選挙日を3月5日と決定しました。しかし、2月27日の深夜、謎の「国会議事堂炎上事件」が発生しました。ヒトラーはこの事件を口実に「共産主義者蜂起の始まり」と断定し、掌握している独裁権力を行使し、直ちに共産主義者の逮捕を始めました。この状況下の国会選挙で、ナチ党は議席数で45％の288議席を獲得しましたが、単独過半数を獲得することはできませんでした。しかし、共産党議員はすでに逮捕・拘禁されており、更にドイツ社会民主党や諸派の一部の議員も逮捕されていたため、ナチ党は憲法改正に必要な3分の2の賛成を獲得することができたのです。この一連のできごとによって、ヒトラーが掌握している国家独裁権力は更に大きくなりました。

1933年3月の国会で全権委任法を可決させると、議会と大統領の権限は完全に形骸化しました。7月にはナチ党以外の政党を禁止し、12月にはナチ党と国家が不可分の存在であるとされました。以降ドイツではナチ党を中心とした政治体制が強化され、ナチ党の思想を強く反映した政治が行われるようになりました。この頃のヒトラーは事実上、唯一のドイツの最高指導者になりました。

このように、優れた政治能力を持つヒトラーは民主選挙と民主政治闘争で、1933年1月に大統領による指名を受けてドイツ首相となり、首相就任後に党内外の政敵を弾圧し、1

年程度で指導者原理に基づく党と指導者による一極集中独裁指導体制を築くことができました。ヒトラーはドイツ史上かつてない独裁権力を掌握したのです。能力が高いヒトラー（当時ドイツの国力と社会を強くした結果論としての評価）への個人崇拝は国民的なものとなりました。民衆が党や体制に対する不満を持つことがあっても、地方・中央の党幹部に批判が向けられ、ヒトラー自身が批判の対象となることはほとんどありませんでした。ヒトラーの優れた能力によって、第一次世界大戦の敗戦で制裁を受けていたドイツは、経済が急速に発展し、社会が安定し、国力も日々増強しました。

このようにして、1933年頃、独裁者であるヒトラー、独裁政党であるナチ党、独裁思想であるファシズムはほぼ完全にドイツ国家を支配しました。これらの独裁を支持していた当時のドイツ国民は独裁国民へ、ドイツ国家は独裁国家へと変貌しました。

ヒトラーは国内での強固な支配体制を築いてから、いよいよドイツ国家とドイツ民族の将来のために、植民思想と帝国思想を持つ世界中の独裁帝国であるソ連・フランス・イギリス・米国と戦い始め、世界のドイツ独裁帝国を構築することに挑戦します。

ヒトラーには3つの固い信念がありました。第１は第一次世界大戦の敗戦で各独裁帝国に強要された不平等条約でバラバラになったドイツを再統一し、敗戦で弱くなったドイツを再び強くすること、第２は資源確保のためにソ連あるいはバ

ルカン半島方面に領土を拡張すること、第３はソ連の共産主義者を根絶やしにすることです。1937年の官邸秘密会議やヒトラーの著書である『我が闘争』で示されているように、ヒトラーはドイツ民族のため、旧来の領土のみならず「東方に生存圏が必要である」としてイギリス、フランス式の帝国主義的な領土拡張と侵略政策を進めました。

ヒトラーは最初に、フランスとソ連を警戒するイギリスの協力と支持を得るという戦術をとり、第一次世界大戦の敗戦でかけられた軍備制限を解除し、ドイツを再軍備させました。そして、イギリスの協力と支持で、オーストリアを併合し、チェコスロバキアの一部も併合しました。ドイツ再建へのヒトラーの強い信念と、できるだけ欧州大陸を混乱と戦争に陥れ、バラバラになってほしいというイギリスの国家戦略は合致しました。ヒトラーはこのようにして、強いドイツを再建するという目標を少しずつ順調に前進させました。ドイツは益々強くなり、国力もあっという間にフランスを超えました。敵国フランスを制圧する戦略に成功したイギリスは、今度は逆に強くなったドイツを警戒し始めました。

1939年、ドイツとポーランドの間にチェコスロバキアの侵略について摩擦が起こりました。ドイツを支持して欧州大陸に混乱と戦争をもたらすという国家戦略が実現したイギリスは、今度は、強くなったドイツが脅威になると感じ、フランスを制圧するという国家戦略からドイツを警戒する国家戦略へと調整し始め、今までの対独宥和外交から対独強硬外交

に変更しました。世界覇権を狙い、欧州大陸の各国の国力の変化を冷静に見ていた遠くにいる米国も強い国力を持ち始めたドイツを警戒し、ポーランドの抵抗を煽りました。そのためポーランドは、米国やイギリスからの圧力と誘惑を受けて益々対独強硬姿勢を取りました。その結果、イギリスに翻弄されたと感じたヒトラーは独英海軍協定と独波不可侵条約の破棄を発表しました。ヒトラーはポーランドに侵攻し、後にヨーロッパ大陸の大半を占領しました。しかし、イギリスと米国の完璧な世界戦略により、ヒトラーは、強大な独裁帝国であるソ連、フランス・イギリス・米国との全面戦争に突入してしまいました。1945年に、ヒトラーは５大帝国による覇権争い（ドイツ、フランス、ソ連、イギリス、米国の覇権戦争）に負け、ドイツ国家とドイツ民族に多大な損失をもたらしました。５大帝国による覇権戦争（日本を入れると６大帝国覇権戦争、G6戦争とも呼ばれる、イタリアも入れるとG7戦争と呼ばれる、いわゆる第二次世界大戦）の敗戦目前の1945年4月30日、ヒトラーは自ら命を絶ちました。

ドイツは敗戦し、再び制裁と清算を受けることになりましたが、戦勝国であるフランス・イギリス・ソ連と米国の独裁と覇権への清算ができず、今もこの独裁と覇権の世界が続いています。このような世界ですから、いつかまた新しい世界帝国大戦が起こるでしょう。

ヒトラーが亡くなってから28年後の1973年に、ようやく平和的な独裁帝国集団G7システム（ソ連は含まれず、カナ

ダが入った）とその後のG8システム（ロシアが含まれた）が「堂々と」始まりました。もし独裁帝国集団G8システムが上手く運営できれば、今後の世界帝国大戦は回避できるかもしれませんが、結局G8システムも失敗しました。一方、今後、ロシア問題を解決したとしても、独裁帝国集団G7の植民地時代からの独裁思想が続く限り、中国問題・インド問題・アフリカ問題・南米問題・東南アジア問題・中東問題などもいつか起こるでしょう。西側の帝国国家が衰退しない限り、長年植民思想を正当化し続ける西側価値観への反省は不可能なのでしょうか。

戦争について、敗戦国は勿論反省しなければなりませんが、敗戦で戦勝国からの制裁を受けて、ある程度反省しやすい状況になります。戦勝国は勝利のおかげで、自分の戦争行為を正当化し、戦後の利益を最大限に追求し、ほとんど反省できない状況になってしまいます。敗戦国は自らの独裁植民思想を反省すべきですが、戦勝国が自らの独裁植民思想を反省しない限り、いつか再び世界帝国大戦が起こるでしょう。そして、今度は核ありの世界大戦になります。地球の存続のため、今の人類は、産業革命以来続く独裁植民の西側価値観を徹底的に反省し、真の自由・民主・平等を尊重する新しい価値観を作らないといけません。今後、2022年のようなウクライナ戦争を回避するため、戦勝国を含む第二次世界大戦の全ての参戦帝国の歴史を清算し、現在の「自由・民主・人権」と偽装する独裁植民の西側帝国価値観を根本から改革し、高度

な新しい人類文明を構築しなければなりません。

独裁者である中国の各時代の最高指導者とドイツの最高指導者ヒトラー、独裁政党である中国共産党とドイツナチ党、独裁思想である中国共産主義思想とドイツファシズム思想、そしてこれらの独裁によって形成される中国独裁国民とドイツ独裁国民、中国独裁国家とドイツ独裁国家などを比べると、今の中国と昔のドイツは非常に似ていると考えられます。更に、高い能力と素質を持つヒトラーとドイツ国民は第一次世界大戦での敗戦による各植民帝国からの国家制裁に不満を持ち、強いドイツを構築しようと努力していました。同じように、中国の独裁者と独裁国民はアヘン戦争から第二次世界大戦の一部である日中戦争までの間の全ての敗戦による屈辱に対抗心を高め、強い中国を構築しようと努力しています。あらゆる方面で、現代中国はナチスドイツと似ています。中国国民はこれを警戒すべきでしょう。一方、一中国国民としての私は、植民思想を持たない、平和的な中国独裁国民が、覇権争いのため、世界大戦を起こすリスクはないと確信しています。

この日中戦争の中国敗戦というのは、日中戦争だけを見ると、中国の損失が日本より遥かに大きいということを意味しており、歴史書に書かれている、第二次世界大戦における中国が戦勝国の一つと日本が敗戦国の一つであることとは矛盾しません。

日本の独裁

下関市は、山口県の西部、本州最西端に位置する都市で、山口県最大の都市でもあり、山口県の唯一の中核市及び中枢中核都市にも指定されています。古くより、下関港から発着する関釜連絡船は、日本から朝鮮半島や中国大陸へ渡る主要ルートの1つであり、東アジア諸国への玄関口としての機能も有しています。また陸上交通・海上交通の両面で重要な地点となったことから、戦時中には下関要塞として関門海峡沿岸部一帯が大日本帝国陸軍の支配下に置かれました。中国人にとって最も覚えやすいのは1895年4月17日に日本と中国の間に締結された「下関条約」の締結地であるという点です。

2021年の下関市の人口は山口県最多の約25万人です。隣接する約3万人を有する長門市と合わせて、衆議院議員総選挙山口第4小選挙区を構成します。2021年10月31日の第49回衆議院議員総選挙で、「東京都」生まれの安倍晋三は69.72％の得票率と80448票の得票でこの山口第4区にて連続10回の当選を果たしました。当時の有権者数は24万4858人で、最終投票率は48.64％でした。

安倍晋三は1954年9月21日 に東京都で生まれました。父方の祖父は元衆議院議員の安倍寛、母方の祖父は岸信介元首相で、大叔父は佐藤栄作元首相です。祖父安倍寛（1894年 ～ 1946年）は木材商で、戦前の1937～1945年、山口1区の衆議員を2期務めました。安倍寛の妻である静子は陸軍

大将大島義昌の孫娘、陸軍軍医監本堂恒次郎の娘です。安倍晋三の父安倍晋太郎（1924～1991年）は岳父の岸信介と義理の叔父の佐藤栄作の政治権力の影響力のおかげで、旧山口第1選挙区での衆議員を長年務めました。安倍晋太郎の死後、1993年の衆議院議員総選挙で安倍晋三はその選挙区を引き継ぎ、以降2021年の総選挙まで連続10回当選しています。

安倍晋三の祖父岸信介（1896～1987年）は東條内閣で1941～1943年に商工大臣、1943～1944年には無任所の国務大臣として軍需省の次官を兼任していました。戦前は「革新官僚」の筆頭格として陸軍からも関東軍からも嘱望されていました。戦後、岸信介は東條英機内閣の太平洋戦争開戦時の重要閣僚であったことから、極東国際軍事裁判ではA級戦犯被疑者として3年半拘留されましたが、当時の共産主義が著しく発展する国内外の環境の変化のおかげで、米国によって、不起訴のまま釈放されました。米国の支持を得た岸信介は1953～1979年までの旧山口第2選挙区の衆議員を務め、1957～1960年まで、第56代・57代内閣総理大臣にもなりました。

安倍晋三の大叔父佐藤栄作（1901～1975年）は1947～1975年まで岸信介と同じ旧山口第2選挙区の衆議員を務めました。1964～1972年で第61～63代内閣総理大臣にもなりました。岸信介と佐藤栄作の旧山口第2選挙区の地盤は後に長男である佐藤信二に引き継がれました。2021年10月の時点では東京都出身の、岸信夫元防衛大臣(安倍晋三の実弟)

が山口第2小選挙区で当選しています。
以上のように、安倍・岸・佐藤一族の政治権力は絶大です。そして、
（１）岸信介は政財界に幅広い人脈を持ち、首相退任後、福田赳夫の後見人として存在感を示し、福田赳夫総理の誕生に貢献しました。これによって、現在まで続く安倍一族と福田一族の政治協力関係ができました。
（２）1969年の第32回衆議院議員総選挙で、岸信介は側近の1人である今松治郎の秘書だった森喜朗の旧石川1区からの出馬を応援しました。その後、安倍一族と近い関係になった森喜朗は2000～2001年に総理大臣になり、岸の外孫である安倍晋三の総理大臣就任に尽力しました。安倍晋三が2006年に初めて首相に就任した際も、森喜朗は後見人として安倍を支えました。
（３）1979年10月7日の衆議院解散を機に、岸信介は政治地盤を吹田愰に譲り、政界を引退しました。吹田愰は岸の娘婿である安倍晋太郎の首相就任に執念を燃やしました。吹田愰の娘婿である衆議員の西村康稔は安倍晋三内閣で経済再生担当大臣に起用され、コロナ危機の時、新型コロナウイルス対策担当大臣も兼務し、大活躍しました。
（４）1987年までに、安倍派の中堅議員だった小泉純一郎は安倍晋太郎総理大臣の誕生のために尽力しました。その小泉純一郎は2001～2006年の間、総理大臣になり、安倍晋三を後任の総理大臣として育てました。そして、２期目の安倍

晋三内閣では、安倍晋三は小泉純一郎の息子である小泉進次郎を育て、将来の小泉進次郎総理大臣の誕生のため、尽力しました。衆議員の初当選前から福田赳夫に師事した小泉純一郎は福田康夫総理大臣の誕生にも尽力しました。

（５）安倍晋三の大伯父である佐藤市郎は海軍中将です。

（６）佐藤栄作の孫婿阿達雅志（佐藤信二の娘の夫）は2022年７月時点で自由民主党参議院議員であり、安倍晋三の後任である菅義偉内閣で経済・外交担当首相補佐官を務めました。

（７）安倍晋三の秘書だった前田晋太郎は2017年から安倍晋三の最重要選挙区である山口県下関市の市長になっています。

（８）近い将来、例えば2040年までに、これらの家系から輩出されそうな総理大臣は、２代目総理小泉進次郎と３代目総理福田達夫でしょう。そして、これらの家系は、４代目５代目６代目の総理を誕生させるため、着々と準備しているでしょう。例えば、2019年、小泉進次郎は首相官邸で安倍総理に結婚の報告をしました。そして、政治的中立性が足りない日本メディアはこのできごとを芸能ニュースのように報道しました。

更に、経済界について言及すると、安倍晋三は1979年に「神戸製鋼所」に入社しました。実弟岸信夫は1981年に「住友商事」に入社しました。実兄安倍寛信は1975年に「三菱商事」に入社し、2012年6月から「三菱商事パッケージング」

の代表取締役社長を務めました。安倍寛信の妻は「ウシオ電機」会長牛尾治朗の娘です。安倍晋三の妻安倍昭恵は「森永製菓」社長松崎昭雄の長女です。岸信介の長男である岸信和は「西部石油」会長です。佐藤信二の妻佐藤和子は「東京ガス」会長安西浩の長女です。佐藤栄作の長男佐藤龍太郎は「JR西日本」取締役などを務めました……。

興味がある読者は、日本の経済・政治・社会のあらゆる事情をもっと調べてみると、日本の政治制度と社会システムの本質をもっと理解できるのではないでしょうか。例えば、特捜部と検察、暴力団、宗教法人、官僚組織、教育体制、医療システム、日本の軍事体制、駐日米軍と米国大使館などなど……。

以上のように、岸・佐藤・安倍一族は、政財界に絶大な権力を持つ、真の独裁者でしょう。そして、麻生・吉田・鈴木一族、福田一族、小泉一族なども、真の独裁者でしょう。これらの独裁者たちはある時は互いに協力し、ある時は互いに競争しながら、日本式の独裁を「自由で民主的で合法」的な形で維持しながら、今後も益々強くなるでしょう。

米国の独裁

2000年の第54回米国大統領選挙で、共和党のブッシュは47.87％の得票率、50456002票の得票で271人の選挙人票を獲得し、民主党のゴアは48.38％の得票率、50999897票

の得票で266人の選挙人票を獲得しました。選挙制度の決まりで、得票数が少ないブッシュは当選し、ブッシュ家２代目の大統領になりました。当時有権者全体の投票率は51.2%でした。

2016年の第58回米国大統領選挙で、不動産業の富豪である70歳の共和党のトランプは45.93%の得票率、62985134票の得票で304人の選挙人票を獲得し、元大統領ビル・クリントンの妻である69歳の民主党のヒラリー・クリントンは48.02%の得票率、65853652票の得票で227人の選挙人票を獲得しました。選挙制度の決まりで、得票数が少ないトランプが当選しました。当時有権者全体の投票率は55.7%でした。

2020年の第59回米国大統領選挙で、74歳の共和党のトランプは46.86%の得票率、74216154票の得票で232人の選挙人票を獲得し、78歳の民主党のバイデンは51.31%の得票率、81268924票の得票で306人の選挙人票を獲得しました。選挙制度の決まりで、バイデンが当選しました。当時有権者全体の投票率は66.2%でした。

米国の立場に立つなら、これらの数値は米国の価値観である「自由・民主・法治・人権」を物語っているというでしょうが、私の主観的な考え方では、これらの数値はこれ以上ないほどの独裁だと感じます。元々、何億人もの人口を抱える国家で、同じ40%台の得票率で、同じ6千万台の得票で勝敗を分けることができるでしょうか？　有権者全体のたった

50％台か60％台しか投票率がない選挙に意味がありますか？だから、米国選挙の本質は権力ゲームと金銭ゲームと良くいわれます。選挙の裏である資本集団と既得権益者集団などがコントロールしていることを考えたら、これは絶望的な「独裁選挙」としか思えません。資本集団と既得権益者集団は「民主選挙」をコントロールし、そして「民主選挙」を演じることによって、国家独裁権力を合法的にかつ民主的に手に入れます。長い目で見ると、彼らにとって、どちらが大統領になっても、構いません。独裁選挙政治システムを維持することは、彼らにとって、一番の利益になります。

更に、米国の大統領と国会議員たちの背景を詳しく調べたら、誰もが米国選挙の本質は独裁者を選ぶ「独裁選挙」であると気づくでしょう。選ばれる大統領は表の独裁者に過ぎません。つまり、独裁選挙といいますが、独裁者だけを選ぶ選挙ではありません。米国選挙の裏に隠れている最も本質的な独裁者は、エネルギー産業利益集団、軍需産業利益集団、ウォール街金融資本利益集団などがあげられます。米国独裁選挙を経て、これらの利益集団は民主的に合法的に独裁組織に変貌します。そして、米国独裁政党と独裁価値観も形成し、最終的に、米国独裁国民と独裁国家が形成されます。

一方、いろいろな原因で、今の米国社会がある程度安定し、経済も持続的に発展しているため、独裁国家である米国の強さと先進性も証明しています。

中国の独裁

（一）独裁権力

上述のドイツの独裁・日本の独裁と米国の独裁を認識した上で、中国の独裁について考えてみましょう。

毛沢東時代、国民の毛沢東個人への熱狂的な追従によって、中国は独裁的な国家になり始めました。特に毛沢東時代の後期、独裁はよりひどくなりました。鄧小平時代は、毛沢東への熱狂的な追従が文化大革命の悲劇を生んだという反省から、指導者への個人崇拝を禁じました。カリスマ的存在だった鄧小平は自ら最高指導者のポジションを求めず、なるべく多くの人の意見を聞き、「民主集中制」という集団指導体制を共産党内で再確立しました。鄧小平指導部はこのように、できる限りの努力で、共産党が独占する国家権力の独裁性を抑え、民主性を伸ばしました。その時期から、中国政治の民主化は中国経済の発展と共に進みました。中国社会は経済でも政治でも改革開放の時代に突入し、今日まで安定して続いてきました。

鄧小平の次である江沢民の履歴を分析し、江沢民がどんな独裁者であるかについてより具体的に検証しましょう。1989年まで、江沢民は中国共産党の中の幹部の一人というだけで、さまざまな訓練を受けてはいましたが、最高でも「第二級指導部」の一員であり、明らかに国家独裁者とはいえません。1989年から2002年までの江沢民時代はどうでしょう

か。長老には鄧小平らがいます。表から見ると、江沢民最高指導部は完全に中国をコントロールしています。しかし、検証不能な仮説ですが、もし、江沢民最高指導部の政策が鄧小平らの長老たちの考え方と根本から異なる時、鄧小平らは何らかの形で江沢民指導部に圧力をかけ、最悪の場合、江沢民指導部を更迭するとも考えられます。更に、最高指導部には、江沢民を含む7人の政治局常務委員がいました。前述した通り、政治システム上、中国の最重要戦略は、この7人の政治局常務委員の全員一致か多数決によって決まります。このようにして、当時の江沢民最高指導者の個人の独裁権力をなるべく抑えます。そして、鄧小平時代以降、最高指導者を含む中国共産党の権力者たちの「終身制」も禁止されました。2002年に党規約により強制的に引退させられた江沢民はどうでしょうか。恐らく、多大な影響力を残したと考えられますが、次の胡錦濤最高指導者と最高指導部が存在するので、引退後の江沢民を国家独裁者とは呼べないでしょう。これらの分析から、江沢民という独裁者は、最高指導者になる前も、なってからも、そして、引退してからも、存在しないといえるでしょう。江沢民は独裁者ではありませんが、最高指導者になる時、国民から譲渡してもらった国家独裁権力の使用権を占有し、行使しました。一方、今の地球文明のレベルで国家権力が存在する限り、国家独裁は必ず生じるという本書の観点から、江沢民を独裁者と呼んでも良いでしょう。胡錦濤も習近平も江沢民と同じ政治システムで最高指導者になりま

した。江沢民と同様、彼らも独裁者ではありませんが、独裁者と呼んでも良いでしょう。

この、独裁者かそうでないかという判断に矛盾が生じるのは、現在の文明での政治と権力の運営システムのレベルの低さのせいであり、そして各国の国民の能力と素質のレベルの低さのせいでもあります。江沢民たちを独裁者と呼ぶなら、同時に西側諸国の総理大臣と大統領たちも「表の独裁者」と呼ぶべきです。片方だけ、独裁者と呼ぶのは事実と反するでしょう。

本書は、権力側と異なる立場に立つ、個人としての国家権力を実質上行使できない一中国国民である私自身の考え方によって、国家権力の使用権を独占する中国共産党を独裁政党、最高指導部を独裁組織、最高指導者を独裁者と定義しています。これによって、中国の国民側と権力側の緊張関係をある程度正しく反映させています。また、中国国民は国家権力の使用権を共産党に譲渡したら、中国の独裁を助長します。ですから本書では、中国国民を独裁国民と定義し、中国国家は独裁国家であるとしています。そして、私を含む一部の中国国民が中国の独裁権力に対して抵抗し、改革したいと考えるのも自然なことでしょう。

このように、国家権力の反対側に立つ私と本書を読んでいる読者は考えを同じくし、共産主義理念の独裁性を認識し、自由民主的な社会を追求していきましょう。

（二）独裁システム

現在の中国の権力システムにおいて、国家権力は独裁の性質を持っています。中国には、国家権力の独裁による影響を抑制するため、安定的な地方独裁者を作らないよう、一定期間で共産党の幹部たちを全国のいろいろなところに異動させます。同時に、この異動によって、彼らの能力と素質を伸ばし、更にその中からより良い人材を選別・発見し、出世させます。これによって、共産党の独裁性を抑え、民主性を伸ばし、組織力を高めます。

この中国政治の独裁システムと比べたら、日本の政治において、世襲議員が議員になる前の若い頃に、いきなり大臣の秘書官になったり、後に総理大臣まで「世襲する」のは非常に独裁的な政治システムに思えます。そのような意味では、中国の最高指導者になるための政治システムはより有能な・先進的な民主モデルではないでしょうか。今後の中国は、独裁を抑えるため、この民主モデルを更に進化させます。

勿論、習近平が総書記になれるのは元「第二級指導部」の一員である父、習仲勲の影響力によるものが多少あると考えられます。日本の世襲議員には及びませんが、習近平が共産党高級幹部の息子（太子党と呼ぶ）であるため、中国版の世襲の恩恵を受けていることは否定できません。中国国民はこのことに対して批判的な立場を持つべきでしょうが、現状として、認識せざるを得ない面もあります。更に、今後、こういう事態を改善する方法を見つけなければいけません。幸い、

習近平の若い頃に父親は失脚したので、習近平は北京のエリート育ちというだけではなく、貧しい地方での一人暮らしの経験もあります。高級幹部・高級政治家が、都市部での裕福な経済環境の中で育ち、北京での激しい政治闘争しか知らない人間だけになれば、貧しい地方の国民生活を深く理解することはできないでしょう。従って、広大な中国社会の改善方法がおかしなものになる可能性も高くなります。特に、国の最高指導者たちは幼少期に地方での生活を経験したほうが良いのではないでしょうか。都市部の裕福な生活実態の理解も重要かもしれませんが、幹部になればそのようなことは経験できます。幼少期の地方での実際の生活と幹部になってからの裕福な都市生活の両方を経験したら、中国社会をより深く理解できると思います。ですから私たち中国国民は、習近平以降の最高指導部の指導者たちの出身と素質を今後も注視しなければいけません。例えば、今後の中国共産党の上層部がもしほとんど既得権益集団の出身者になれば、彼らの能力と素質は低下し、そのような上層部では中国を共産主義社会に導くことはできないでしょう。もし、一定の期間、共産党はこの状況を改善・改革できなければ、中国国民との共産主義共同理念が崩壊するでしょう。同時に、共産主義思想を持つ中国国民はこのような共産党を崩壊させ、新しい真の共産主義政党を作り出します。

江沢民時代、天安門事件の影響があり、中国社会は若干不安定になりました。社会を安定させ、改革を強力に推進する

ため、鄧小平は江沢民を核心とする最高指導部を作り出しました。次の胡錦濤時代、江沢民の影響力が色濃く残る中、共産党はより民主的な核心なしの胡錦濤最高指導部を作り出しました。腐敗が多発する胡錦濤時代が終わり、腐敗した共産党政権の危機を感じた共産党は、習近平を核心とする、より独裁的な習近平最高指導部を作り出しました。

結論からいうと、恐らく、このような最高指導部の改革は成功しないでしょう。核心がある最高指導部とない最高指導部は、どちらにも大きな欠点があります。核心をおけば、個人独裁のリスクが大きくなります。核心をおかないと、権力は分散し、一見独裁システムの民主性が高まるという良い影響がありますが、共産党にとって、致命的な欠点もあります。それは、権力の分散によって、政権全体の権力の腐敗や不正に対する取り締まりが甘くなり、権力の義務を果たせなくなり、改革を推進できなくなります。中国政治の独裁システムは最高指導部に核心があるかないかによって、根本的に改善できないでしょう。政治は権力であり、政治改革は権力に対する改革です。核心があるかないかということは、単なる共産党上層部での独裁権力の分配の改革です。権力の分配改革には限界があります。この限界を少しでも超えるため、2022年からの中国は、「法治国家」を目標とする政治改革を加速させなければいけません。また、法治国家になっても、中国政治の独裁システムも西側諸国のように、独裁システムの顔を変えて存続し、独裁法治国家になる恐れもあります。中国の

政治改革の終点は、独裁権力の消滅です。つまり、共産党独裁体制の消滅です。中国での独裁権力と独裁政党である共産党の消滅は遠い将来の政治改革の結果の話ですが、この政治改革を推進するため、核心があるかないかはわかりませんが、近い将来に第六世代を選出しなければなりません。

更に、中国の独裁システムでは、最高指導者になっても、最高指導部の一員として、最高指導部の全員一致か多数決で中国の重大事項を決めます。最高指導者1人だけで中国の重大事項を決めることは決してありません。この「民主集中制」によって、共産党の民主性は若干高まります。

同時に、中国の独裁システムで、能力と素質が高い最高指導部のメンバーは、場合によっては中国の各分野の最高レベルの専門家たちを招いて勉強会を開催し、彼らの能力と素質を更に伸ばしていきます。最高指導者の終身制も禁止されたことで、高齢になった最高指導者の勉強能力の不足と判断力の衰えによるリスクを回避することができます。また、68歳以上の中央政治局委員と中央政治局常務委員は基本的に再選されることはありません。

上述の分析により、中国の独裁システムは独裁者の頻繁な異動、政策決定の「民主集中制」、能力と素質を高めるための「学習制度」、終身制の禁止などによって、独裁者の独裁性を抑え、能力と素質を高め、独裁組織を良くしています。

（三）世襲・終身制・権力と資本

現在までの中国共産党の最高指導者は毛沢東、鄧小平、江沢民、胡錦濤、習近平の５人です。つまり、少なくとも習近平までは、中国の「最高指導者の世襲」はありませんでした。そして、これが慣習になるので、将来的にも最高指導者の世襲はないと思われます。2021年時点で、毛・鄧・江・胡・習のそれぞれの一族（現在の習近平総書記本人を除く）の中に権力の中心にいる人材はいません。恐らく、今の中国共産党の権力システムでは、最高指導者の世襲はほぼ100％不可能です。中国の政治システムを研究すれば、最高指導者の退任後、何十年を経ても、その一族から再び最高指導者が選出される可能性は0％に近いです。

江沢民時代から、最高指導者はほぼ2期10年になっており、終身制も廃止されました。中国の政治システムで、最高指導者になるのは、若くて50代後半からです。１期５年の任期ですから、在任期間は３期15年が限界でしょう。多くの西側諸国の首相は任期制限がなく、理論的には終身制も可能ですが、現実的には、西側諸国もほとんど終身制は不可能です。しかし、世襲制と併せて考えると、西側諸国の一部の家系では事実上、終身制が存在するといっても過言ではありません。特に国会議員の世襲制と終身制の問題がよりひどいでしょう。

西側諸国の政治には、世襲問題以外にも、権力と資本の問題もあります。形式上、全国民が投票権を持っていますが、その裏では資本や権力、世襲家族などが社会をコントロール

しています。日本では、世襲は違法ではありません。佐藤・岸・安倍一族、吉田・鈴木・麻生一族、鳩山一族、福田一族などの２世首相や３世首相を輩出した世襲家族が存在します。近い将来、日本で政治革命が起こらない限り、小泉一族も首相の世襲家族に仲間入りするでしょう。更に、４世、５世の総理大臣も近い将来出現するでしょう。日本の国会議員・地方議員の世襲はもっと深刻でしょう。その上、官僚勢力と資本家勢力は事実上、政権与党である自民党と一体化になっています。これらの勢力は世論をコントロールし、選挙を行います。そして、選挙があるから、民主国家だと自負しています。しかし、こんなに金銭と世襲と既得権益の勢力にコントロールされている国は民主国家といえるでしょうか。日本は独裁が合法化されている独裁国家といっても過言ではありません。日本の独裁者は世襲家族と資本集団と官僚システムで構成される巨大勢力だと認識すべきでしょう。更に、日本の世襲政治は、事実上の世襲家族の終身制にもなっています。世襲家族は地方の既得権益者集団と癒着し、安定した地方独裁者になるケースも多く存在します。

また、西側先進諸国と比べると、選挙がある各発展途上国の権力の独裁化は更に深刻です。

勿論、現在の選挙のない中国は独裁国家だと批判されても仕方ありません。中国にとって重要なのは、自身の独裁問題を自覚し、政治改革を通して、民主国家を目指すことです。同時に、西側諸国も独裁国家だと自覚する必要があるの

ではないでしょうか。選挙があるから民主国家だということは、西側諸国の独裁隠しです。今後、中国は他国の政治システムを参考にしながら、政治改革をし続け、「民主システム」を追求します。

（四）独裁理念

中国に独裁者・独裁組織・独裁政党・独裁理念・独裁国民と独裁国家という６つの独裁が存在することに疑いの余地はありません。その中で最も独裁的な力を持っているのは、共産主義独裁理念でしょう。例えば、もし最高指導者である習近平が共産主義理念を放棄し、共産党を解散し、西側諸国の選挙政治理念を導入しようとしたら、直ちに共産主義理念を持つ中国独裁国民から追放されるでしょう。共産党と党の最高指導部が国民と共有している共産主義理念を放棄すれば、中国国民も共産党を放棄し、共産主義理念の下、新しい共産主義独裁組織と独裁政党を作り出すでしょう。つまり、共産主義理念こそが中国の憲法で保障され、国民社会の共同認識になり、一番独裁力を持っているのです。中国の国民も共産党員も資本も共産主義理念に抵抗することができません。そして、共産主義理念の下、中国の国民も共産党も政府も軍隊も資本も、全てが一体化して、共産主義独裁社会を作り上げています。最終的な自由民主的な共産主義社会を実現するまで、中国は巨大勢力である共産主義理念の下、独裁国家のままでしょう。

（五）中国独裁の改革

中国と西側諸国は独裁についての批判をしあうだけではなく、互いに自分を正しく認識し、相手を十分に尊重し、相手の良いところを吸収し、自らの独裁政治システムを改革していくべきでしょう。西側諸国が現行の選挙中心の独裁システムを放棄し、中国の独裁政治システムの表面だけを真似したら、更に酷い独裁国家になるでしょう。中国が西側諸国の資本集団と世襲家族と既得権力者にコントロールされる選挙を導入したら、彼らの独裁を合法化してしまうだけで、最終的に資本と権力による独裁国家に変貌するでしょう。ですから、互いに相手国の政治システムの変更を要求するのではなく、まずは自国の独裁政治システムを慎重に改革していくべきでしょう。中国は西側諸国と独裁性で比べる必要はありません。本来、互いに自国を含む全ての政治システムを研究し、他国と平和的に平等に交流し、自国の民主性を伸ばすことが一番重要です。他国を独裁国と批判しても、自国の独裁性の改善には役に立たないでしょう。

今、中国には、共産党と共産党の各級指導部は優れた組織力があり、最高指導者は高い能力と素質があり、国家独裁権力は効率良く行使されています。一方、最高指導部の全員一致か多数決のルールで、個人独裁を抑えています。共産党も、このような「民主集中制」で、独裁性を抑え、民主性を伸ばします。

中国独裁を更に改革するため、最終的に国民の力を利用し

なければなりません。今後は、あらゆる中国の国家権力は最終的に国民のものであるという中国理念の更なる明確化が必要です。全ての中国国民は自ら中国の国家権力を所有しているという自覚と素質が必要です。国家独裁権力を所有しているものは「独裁者」です。全ての中国国民は自身が「独裁者」であると自覚しながら、その重大な責任を負わなければなりません。現状では、国家権力を所有する中国国民は素質と能力の不足で、正しく国家権力を行使することができないという事実を認識すべきです。そして、国民が所有しても行使できない国家権力は、共産党の上層部に譲渡するしかありません。国家権力の使用権を共産党に譲渡した中国国民は本質的には「独裁者」のままで、独裁者の責任を果たすべきです。中国国民が共産党に失望する時には、共産党に譲渡した国家権力の使用権を取り戻す能力と素質が必要です。一方、中国国民から国家権力の使用権を譲渡してもらった中国共産党は国家権力を行使し、「独裁政党」になります。中国共産党は自身が「独裁政党」であると自覚し、国民から譲渡してもらった独裁権力を扱う能力と素質を日々進化させなければいけません。このように今の独特な中国の国家権力文化を正当化し、今後更に改革・発展していきます。

一方、現在世界の全ての国には国家権力が存在します。現段階の地球文明のレベルで、国家権力が存在する限り、どの国も独裁を避けることはできません。西側諸国は「選挙」を発明し進化し続け、国家独裁を抑えようとしますが、逆に資

本家と政治世襲家族と既得権益者は「選挙」の名を借りて、独裁を合法化し、強化しています。もし、中国が「共産党独裁国家」だとすれば、西側諸国は「資本独裁国家」と認識すべきでしょう。理論上、中国が独裁国家であると判断することは正しいでしょうが、自身の独裁性を自覚できない、民主改革もできない西側諸国は、中国を独裁国家と呼ぶ資格がありません。巨大中国の現実を見ると、選挙を導入しても、中国国民は現段階の能力と素質では、民主的に国家権力を行使することができません。例えば、選挙の下、中国は、陝西省の習近平・湖南省の毛沢東・四川省の鄧小平・江蘇省の江沢民・安徽省の胡錦濤などの世襲家族集団と、深圳市のファーウェイとテンセント・杭州市のアリババ・福建省のTik Tok、そして北京か上海に本社を置く銀行保険金融産業、石油電力エネルギー産業、兵器航空の軍事産業などの各資本利益集団によって、中国を合法的に支配してしまうと予想されます。このように、中国も「資本独裁国家」に変質するのです。選挙は悪いものではありませんが、必ずしも良いものでもありません。選挙は民主主義における限界がある1つの手法として、今後、慎重かつ正しく中国に導入すべきでしょう。中国に選挙を導入した際にも、常に選挙方法を改善していく必要があります。今の中国には、権力者を選ぶ選挙はありませんが、能力と素質が高い権力者を選ぶ選抜はあります。前述の江沢民、胡錦濤、習近平の経歴からもわかりますが、中国の最高指導者になるためには、約30年の時間と、何カ所もの訓練

が必要です。そして、いろいろなライバルと激しく競争しながら、彼らの能力と素質が共産党上層部に認められ、最終的に最高指導者になります。この独特な中国の権力者の選抜方法も今後更に改善していく必要があります。もっと公平な選抜方法にする必要もあります。全ての中国国民がこの選抜に参加する権利が今後は保証されるべきです。より能力があり、素質の高い国民が選抜されるべきです。そして、選抜された権力者に対して、選抜された後も更に能力と素質を伸ばさなければいけませんし、国民からの強力なチェックと監視も強化しなければなりません。一番重要なのは、権力者の選挙と選抜に対する資本の干渉を徹底的に排除しないといけません。

中国の独裁国民は独裁者である最高指導者、独裁組織である最高指導機関、独裁政党である中国共産党との間に緊張関係があります。一方、独裁国民と独裁政党は、共に独裁国家を支持し、独裁思想である共産主義理念を共有します。西側の独裁国家には中国の独裁者、独裁組織、独裁政党を批判する資格はありません。西側の独裁国民には中国の独裁国民、独裁国家、独裁理念に対して対抗すべきではないでしょう。

中国が独裁国家であるということを正しく認識し、そしてより重要なのは、どのようにしてこの中国独裁政治システムを改革し、中国を独裁国家から自由民主国家へと変貌させるかということではないでしょうか？

今の地球の文明レベルでは、改革方法は共産党の一党独裁を止め、民主選挙を導入し、二大政党か多数政党の政治シス

テムに改革することでしょう。しかし、西側諸国では、選挙の名を借りた実質的な独裁政治が行われています。中国政治の民主改革の方向は共産党独裁から、今の西側諸国レベルの「国民投票と多政党政治システム」ではありません。今後の中国は、中国独裁政治に対する中国式の自由化と民主化の改革方法を探求し続けます。

第五章

中国の国家価値観と国民価値観

近年、「中国」という言葉と共に、「価値観」という言葉も良く報道されるようになりました。西側諸国は世論の覇権を使い、「植民地外交」を隠し、「価値観外交」を発明しました。では、中国価値観とは何でしょうか。

価値観は物事の価値についての考え方だと定義して良いでしょう。世界は自由と多様であるべきであるという観点からすれば、他人の価値観と他国の価値観に対して、異議があるとしても、最大限に尊重しなければなりません。そして、平等な交流によって、異なる価値観が各自に進化していくのが一番の理想でしょう。中国価値観と他国価値観の平等な交流を実現するため、本章では中国価値観を紹介したいと思います。

本書で、中国価値観は、国家民族としての中国国家価値観と、一人ひとりの中国国民としての中国国民価値観の両方から構成されていると定義します。現段階での中国国家価値観は、中華民族自身のための、国内向けの共産主義思想と、国民向けの「社会主義核心価値観」と、外部環境を整備するための国外向けの「平和五原則」・「人類運命共同体」の４つか

ら構成されています。そして、中国国民価値観は、一人ひとりの中国国民個人が持っている価値観ですから、多様であるべきでしょう。本章で紹介するのは、一中国国民としての私個人の中国国民価値観ですが、中国の教育を受けた私の価値観は多くの中国国民の価値観と多少異なりながらも、ほぼ同様だと思っても良いでしょう。

『史記』には、「倉廩實而知禮節，衣食足而知榮辱」と記述されています。今後の中国経済の持続的な発展によって、中国の国家価値観も国民価値観も更に改善・発展していくでしょう。

中国共産党の共産主義思想

中国国家価値観の１つである共産主義思想は、最も基本的で重要な中国価値観で、中国の国家指導思想と考えても良いでしょう。中国共産主義思想の源泉は、大昔から今日まで発展してきた中華文明と、世界中で長く広く発展してきた世界文明です。中国共産主義思想は今でも発展し続けています。

(一) マルクス・レーニン主義

中国共産主義思想の直接の根底には、マルクス・レーニン主義があります。

マルクス主義とは、19世紀のドイツのカール・マルクスとフリードリヒ・エンゲルスによって展開された思想をベー

スとして確立された社会主義思想体系の１つです。しばしば科学的社会主義ともいわれます。日本を含む多くの国は資本主義国家でありながら、社会主義的な政策も取り入れています。

マルクス社会主義は、資本を社会の共有財産に変えることによって、労働者が資本を増やすためだけに生きるという賃金労働の性質を廃止し、階級のない協同社会をめざすとしています。

エンゲルスは1883年に『空想から科学へ』を出版し、マルクスやエンゲルスの思想を社会主義思想、弁証法的唯物論、資本主義分析の３つの分野に分けて解説したうえで、唯物史観と剰余価値を発見しました。これによって、マルクス社会主義は科学になったと説明しました。

また、ソ連のレーニンは1913年に『マルクス主義の三つの源泉と三つの構成部分』を書き、マルクス主義の３つの源泉をドイツ哲学、イギリス経済学、フランス社会主義とし、マルクス主義の３つの構成部分を弁証法的唯物論、経済学、社会主義思想としました。これによって、マルクス主義をソ連に導入しました。

(二) 毛沢東思想

マルクス・レーニン主義を中国に導入するときには中国の国情に合わせる必要がありました。その最初の試みの成果は毛沢東思想です。

毛沢東思想は、マルクス主義をベースとし、毛沢東自身が

若い頃から親しんだ中国農耕社会の観察や経験から導き出された中国発展のためのアイデアを含んでおり、その大綱として大公無私（個人の利益より公共の福祉を優先する）、大衆路線（農村大衆の意見に政治的指針を求め、それを理解させて共に行動する）、実《じつ》事《じ》求《きゅう》是《ぜ》（事実を重視し、現実から学んで理論を立てる）などがあります。
「共産主義」「実事求是」「大衆路線」「独立自主」などが毛沢東思想の真髄とされています。

(三) 鄧小平理論

毛沢東思想は、マルクス・レーニン主義を中国に導入し、共産主義社会の実現を中国の国家目標として確立させることに成功しました。しかし、毛沢東時代、中国は共産主義社会の目標を実現するための方法が間違いました。言い換えれば、毛沢東時代には、目標を実現させるための条件（国家の経済力・国民と共産党の能力と素質・共産主義思想の成熟性など）が整わなかったので、最終的に挫折してしまったのです。

毛沢東がいなくなってから、中国には、一度挫折した国家目標である共産主義社会を再び実現するため、毛沢東思想を批判しながら継承し、中国を「改革開放」時代に導く鄧小平理論が登場しました。

鄧小平理論とは、社会主義市場経済（概ね資本主義経済だと理解しても良いでしょう）を確立することと中国共産党の独裁システムの正当化などの主張が中心となっています。

鄧小平理論を最もわかりやすくいえば、「先に豊かになれる人が豊かになり、豊かになった人は他の人も豊かになれるように助ける」というものです。つまり、共産主義社会を実現するために、まずは経済力をつけ、経済の発展と共に、国民と共産党の能力と素質を高めます。これによって、共産主義社会を実現する土台を完成させ、共産主義思想を一層発展・深化させ、最終的に共産主義社会を実現します。

具体的にいうと、鄧小平理論は共産主義の目標を堅持しながら、その目標を実現するために、柔軟な考えと手段を取り、資本主義と市場経済を中国社会に取り入れて、まずは「公平性をある程度欠いても、効率を優先して」全国民の富を増やしました。そして、ある程度社会が豊かになってから、「効率をある程度犠牲にして、公平性を優先して」共産主義の目標に対して本気で取り組み、最終的に実現するという考え方です。

(四) 江沢民指導部の「三つの代表」

共産主義社会を実現するという目標を確立した毛沢東思想と、目標を実現するための道筋を確立した鄧小平理論によって、その後の中国の最高指導部は目標への途上で現れる具体的な問題を処理すれば良いことになりました。カリスマ指導者鄧小平や毛沢東とは異なり、江沢民以降の最高指導者たちは事務型最高指導者と呼ぶのがより相応しいでしょう。勿論、中国は10億人以上の人口と56の民族と多様な外交関係を有し

ている複雑な巨大国家ですので、中国の内政と外交を事務的に処理するにも、それなりに高い能力と素質が必要です。このような状況下で、中国は慎重に、着々と目標へと進みます。まずは、鄧小平理論による「改革開放」政策からもたらす中国社会の資本主義化に対して、社会を安定させるために、江沢民指導部は「三つの代表」をまとめました。

「三つの代表」とは、2000年に第三世代の江沢民最高指導部が発表した重要思想・スローガンです。具体的にいうと、中国共産党は、以下を代表すべきとするものです。

（1）中国の先進的な社会生産力の発展の要求

（2）中国の先進的文化の前進の方向

（3）中国の最も広範な人民の根本的利益

1つ目の先進的な社会生産力とは、当時の資本主義生産力を含みます。2つ目の先進的文化とは、共産主義思想以外の、当時の資本主義文化と価値観も含みます。3つ目の最も広範な人民とは、もともと共産党が労働者を代表する政党ですが、今後資本家も代表しようということです。

なぜこのような思想が必要だったのでしょうか。

これは鄧小平理論に基づく1980～2000年までの市場経済の発展と共に、中国社会には多くの資本家が出現し、中国が事実上、一種の資本主義国家になったからです。鄧小平理論は上述のように、中国社会が共産主義を最終目標として堅持しながら、まず資本主義の手法を取り、社会全体の富を増やします。しかし、資本主義の手法ですから、結果的に、資本

家階級と労働者階級という２つの階級に明確に分かれ、中国社会が分断してしまいます。共産党はもともと労働者階級の政党なので、鄧小平理論によって出現した資本家階級は共産党の敵対階級になります。この厳しい社会分断現象を解決するために、そして、この新しい民間の資本家階級の「富の創造」への努力を安定して継続させるために、第三世代の江沢民最高指導部は当時、共産党の性質を一部変えました。労働者階級だけの政党だった共産党は、共産主義の目標を堅持しますが、資本家の入党を認めることによって、資本家を含む全国民を代表する政党に変りました。

更に、改革開放の名の下、中国社会の富の急増と共に、共産党自体も変質しました。新入党員の多くは、共産主義理念のためではなく、金銭と権力のため、共産党員になります。共産党内の一部の権力者たちも、違法であれ合法であれ、財力を追求する道に走っています。その権力者たちの家族と友人の多くは既に資本家となっていました。つまり、資本家が共産党に入党できるようになる前から、共産党は既に内面から、労働者だけを代表する政党ではなくなっていたのです。一言でいうと、江沢民時代の「三つの代表」によって、中国共産党の一部は秘密裏にではなく、堂々と資本家に転身しました。

江沢民指導部の「三つの代表」理論によって、中国にいる労働者と資本家は平等な中華民族の一員、中国国民の一員であると認められました。中国社会を安定的に発展させるため、中国共産党は労働者階級と資本家階級の文化・利益を共に代

表するように変質しました。

(五)胡錦濤指導部の「科学的発展観」

鄧小平理論による資本家階級の出現と、その後の江沢民指導部の「三つの代表」による資本家階級の入党可能のおかげで、近年、中国経済は発展し続け、社会もある程度安定していました。同時に、資本と権力はしばしば暴走し、中国国民は不平等を感じ、中国社会は不安定化しました。中国国民と約束した長期目標である共産主義社会の実現と、鄧小平・江沢民時代に推進していた資本主義政策との矛盾と摩擦もしばしば激化しました。効率を強調し公平さに欠ける鄧小平・江沢民時代の資本主義政策に取り残された一部の中国国民と、独裁権力を自分のために利用する共産党の一部の権力者との間では、社会対立が激化しました。更に、鄧小平・江沢民時代の中国は低所得国に当たり、経済成長に伴う環境問題や資源問題、格差問題なども顕著になりました。中国の1人当たり名目GDPが1150ドルに達し、これらの問題を解決する国力が少し付いた2002年に誕生した新しい胡錦濤指導部は、やっと、これらの問題を解決するための第一歩を踏み出しました。中国社会に定着した資本主義を更に発展させ、国力をもっと増強し、中国社会をより安定させるため、胡錦濤指導部は「科学的発展観」を提示しました。

「科学的発展観」とは、中国の現代化を導く理念で、「人を基本」とし、経済・社会・政治・文化などが協調した「持続

可能な発展観」とされています。「科学的発展観」をわかりやすくいえば、効率を強調し公平さに欠ける鄧小平・江沢民時代の資本主義政策による成長から、公平性と効率を同時に重視し、人権・自由・民主・環境などにも配慮しながら、中国社会を全面的に発展していく国家指導思想です。

胡錦濤指導部の「科学的発展観」の提示は、鄧小平・江沢民の資本主義手法の重視と資本家重視の政策から、共産主義の目標実現を重視する政策への最初の転換点になりました。

(六) 習近平指導部の「習近平思想」

毛沢東思想によって、共産主義社会の実現が中国の共同理念であることが確立されました。鄧小平・江沢民理論によって、中国社会に資本主義政策を導入し、共産主義社会を実現するための方法を確立し、富を増やし、国力も蓄積できました。胡錦濤指導部の「科学的発展観」によって、中国は資本主義政策と共産主義政策のバランスを取り、共産主義という目標への第一歩を踏み出しました。そして、バトンを習近平指導部に渡しました。

2022年の今の「習近平思想」は習が唱えてきた一帯一路、人類運命共同体、貧困ゼロ、共同富裕などを含みます。一言でいうと、習近平思想は、将来の中国の共産主義社会を実現するため、マルクス主義を起原とする、経済発展と共に、進化し続ける現段階での中国式共産主義理論です。習近平指導部は胡錦濤指導部の資本主義から共産主義への転換政策を継

承し更に発展しています。特に、コロナ危機下の2021年に、習近平指導部は学習塾改革・不動産産業改革・IT産業改革などを実行し、共産主義政策と理念をより鮮明に打ち出しました。恐らく、１人当たり名目GDPが1万ドルを超えたあたりから、習近平指導部はいよいよ共産主義社会の実現が現実になると考えたでしょう。一方、共産主義社会の実現への道のりはまだ長いでしょう。その過程で、共産主義と資本主義の関係を上手くコントロールしなければいけません。学習塾を含む教育改革・独禁法などによる市場主義（資本主義）再改革・富の再分配によって共同富裕を実現するなど、難しい問題に直面しています。習近平思想はこれらの問題に挑戦する義務があります。2022年10月の時点で、習近平思想を評価するのは時期尚早です。あえて言えば、「習近平思想」の提示により、中国は、共産主義という目標の実現に向けた加速期に入ったと考えても良いでしょう。

そして、恐らく、習近平指導部以降、共産党消滅までの各時代の中国共産党の各最高指導部は、共産主義社会を実現するための各理念をまとめてから、共産主義社会を実現する目標を次の指導部にリレーすると考えられます。

一方、毛沢東思想と鄧小平理論と習近平思想は最高指導者の個人の名前がついていますが、その国家指導思想全てが時の最高指導者だけの考え方ではなく、その時の最高指導部と全国民による多大な貢献がありました。国民の一員としての私も、今後の新しい共産主義国家指導思想に貢献していきた

いと思っています。

上述の6つの思想と今後の各指導部の新しい思想を含めて、中国共産主義思想は構成されています。これらの具体的な思想が正しいかについての唯一の判断基準は、中国共産主義社会の実現に役に立つかどうかです。今後の中国は、常にマルクス主義から習近平思想までの6つの思想を検証し、評価し、継承し、新しい時代に合わない部分を改革・進化させ、そして今後の新しい時代にまとめる新思想を実行し、最終的に中国共産主義社会を実現します。

中国共産党の国民向けと国外向けの国家価値観

上述の国家価値観である共産主義思想は政府与党の理念と行動方針ですが、より明確な国民向けと国外向けの国家価値観の提示も必要です。今中国の経済は発展し続けていますが、経済の豊かさに適応する国民と政権の能力と素質が欠如しています。ですから、国民と政権向けの国家価値観の明確化が重要です。また、国際交流上、西側諸国の「価値観外交」に対し、国外向けの国家価値観の提示も必要でしょう。

(一) 建国当初からの対外関係の原則である「平和五原則」

毛沢東時代、周恩来総理の下、外国との関係を「平和五原則」で対応すると決めました。「平和五原則」とは、領土・主権の相互尊重、相互不可侵、相互内政不干渉、平等互恵、

平和共存です。毛沢東時代以降も、中国は「平和五原則」を守り続けました。

「平和五原則」の下、1970年代から、中国は、米国をはじめ各国に対して、中国との外交関係を持つのであれば、中国台湾との外交関係を中止するという条件をつけました。近年、人権・政治・台湾・香港・新疆などの中国の内政に対して、西側諸国は中国の敵対勢力を作り出し、あるいは情報を捏造し、中国に圧力を掛けています。勿論、中国にはいろいろな問題が存在しますし、それらは改革しなければいけません。中国は西側諸国の善意ある批判に対して、感謝の意を込めて真摯に対応しなければいけません。しかし、悪意のある批判、情報を捏造して中国を攻撃する行為、香港・台湾・新疆を含む中国国内での敵対勢力を作り出す行動に対して、中国は国力の増強と共に、今後、政権と民間の両方から激しく反撃するでしょう。

　今後、中国は再び西側諸国に対して、中国との外交関係を続けたいなら、「平和五原則」を守るよう、厳しく求めるでしょう。あるいは、中国は「平和五原則」の適用基準を再検討し、「平和五原則」を守らない西側諸国に対しては対抗措置を取るかもしれません。例えば、国連大会で、中国は米国国内のアジア人への差別事件・銃乱射事件・金銭と権力ゲームである独裁選挙事件・2020年の国会議事堂「民主化運動」などを人権問題・人種問題・民主問題として提起し、ハワイとサイパンなどの独立問題を作り出し、国際上の米国のイラ

ク・アフガニスタン侵略の責任を追求します。日本に対しては、中国は「沖縄問題」を提起し、国連で「沖縄独立の日」の設立の協力を要求し、沖縄での民族問題・人権問題を作り出し、中国国内で琉球民主主義共和国臨時政府の設立を支持します。そして、中国は今までの中立の立場を止め、ロシアの北方四島に対する主権要求を明確に支持し、中国資本を北方四島に投資し、投資の安全を確保するため、ロシアの要請で、北方四島に中国関連の軍事施設を作ります。更に、台湾侵略の清算問題、日中戦争の清算問題、靖国神社問題なども作り出します。植民地を持っていたイギリスなどに対しては、歴史への反省と植民地人権問題などを提起し、改善しなければ、制裁措置を取ります。イギリスとアルゼンチン間の「島紛争」に対しては、国際ルールに従って、経済と軍事両方から、アルゼンチンを明確に支持します。今の世界文明のレベルでは、他国と対抗したいなら、いくらでも国際法の下、口実を作ることができます。

今後、「平和五原則」を無視する西側諸国に対して、国力が増強した中国も、「平和五原則」に反する政策で激しく反撃し、「平和五原則」の重要性を認識させます。そうなると、中国の国力の増強と共に、中国は世界の不安定の源になるでしょう。中国はいつまで「平和五原則」を続けられるでしょうか、今後の約10年間が分岐点になるでしょう。

（二）新しい対外関係の原則である「人類運命共同体」

近年中国経済の持続的な発展と共に、世界における中国の存在感が高まりました。「平和五原則」は主に両国間の主権を尊重するために存在しており、中国と外国との関係の発展のためには「平和五原則」だけでは不十分です。そのため近年、中国は両国間に互いに利益をもたらす「人類運命共同体」という価値観を提起しました。

人類運命共同体とは、自国の利益を追求すると共に他国の利益にも配慮し、両国（全ての国）の共同発展を図ることを中心とする価値観です。国際関係の相互依存や共同利益、持続可能な発展、グローバルガバナンスなどさまざまな観点によって構成されています。中国では、人類運命共同体が世界の潮流や人類の運命の先行きを代表する思想の１つとされ、覇権を唱えないという中国の姿勢も表れています。現在、政治、外交、安全など多分野に適用されています。特に、中国の友好国や一帯一路経済圏の国々と共有する道を模索しています。

どこの国もまず自国の利益を追求するでしょう。しかし、米国の価値観である「米国ファースト」を掲げて、他国の利益を損なってもかまわないという考えはやりすぎであり、不道徳であり、間違っているでしょう。中国は「人類運命共同体」という価値観に共感できる国を、世界中から探します。恐らく、最初は、保守的になっている先進国が覇権の利益を保護するため、共感してもらえないでしょう。最初に真の仲間になれるのは恐らく今後発展していきたいアフリカや東南

アジア、南米の発展途上国だと思われます。

一帯一路経済圏の国々と一緒に、「人類運命共同体」の共同価値観で、1人当たり名目GDPが上がっていきます。成功すれば、いつか、どんどん衰退してきた先進国からも同調者が出てくるかもしれません。

今後しばらく、中国は内政不干渉を中心とする「平和五原則」と、共同発展を中心とする「人類運命共同体」で、各国との外交関係を構築していきます。

(三) 21世紀の国民向けの「社会主義核心価値観」

「社会主義核心価値観」は2012年の党大会以降、中国共産党が広く提唱、宣伝した国民向けの国家価値観であり、24文字で明確に定義され、以下のように3つの分野に分けられています。

（1）国家が目標とすべき価値：富強、民主、文明、和諧

（2）社会面で大事にすべき価値：自由、平等、公正、法治

（3）一人ひとりが守るべき価値：愛国、敬業、誠信、友善

社会主義核心価値観を育成・実践するため、中国の各級の行政部門が通知を発布し、学校、病院、会社、公園などで横断幕や電子掲示板などを通じて社会主義核心価値観を宣伝しています。特に、学校での教育の一環として、将来の中国の担い手である若い学生たちに対して、力を入れています。これによって、時間はかかりますが、経済の発展と共に、我ら中国人の素質も益々高くなることが期待できるでしょう。

私の中国国民価値観

世界各国の国家価値観は多様であることが望ましいでしょう。中国は今の時代に応じて、中国価値観を明確に提示する必要があります。全ての国が独自の国家価値観を提示することによって、国家の多様性が可能になります。個人も同様だと思われます。一国民は自身の価値観を持つべきであり、そしてその独自の価値観を提示することにより、社会の多様性に貢献できます。

ですから、上述の中国共産党による中国国家価値観とは異なる、「私個人」の有限な知識に基づく、「私個人」の現時点で考える、一中国国民の主観的な世界観としての中国国民価値観を紹介したいと思います。今後も、この個人価値観認識は改善し続けたいと考えています。また、国家・民族と関係なく全ての人との価値観交流をしたいと思っています。価値観の多様性の存在と、異なる価値観との交流により、自身の価値観を進化させる可能性が生まれます。異なる価値観を最大限に尊重し、そして異なる価値観が存在すること自体に感謝すべきでしょう。

(一) 実事求是の追求

約1900年前の中国史書『漢書』には、「修学好古、実事求是」と書かれています。

私は中学1年生の時、学校の教育で、初めて、この「実事

求是」という言葉を知りました。これ以上ないくらい、私の脳にこの言葉が焼きついたことを覚えています。恐らく私は人生の最後まで、この言葉と対話し続けたいでしょう。

まず、私が理解するこの言葉の意味を紹介します。「実事」とは実在する事・事実、「求」は探求・究明、「是」は真理の意味です。一言でいうと、事実から、真理を探究・究明するということです。更に具体的にいうと、「そのことは存在していますか」「その事実とは何でしょうか」「事実も真理も求めていますか」「真理が究明可能でしょうか」「真理をどうやって究明していますか」「本当の真理とは何でしょうか」「時間の経過と共に、事実も真理も変化しますか、また、どのように変化しますか」など、いろいろな意味を含んでいます。

中国の「実事求是」を求めて、私は大学に通いました。そして、中国の考え方と異なる「外の目」を求めて、海外留学を選択しました。海外では、西側諸国が自慢している西洋価値観と出会うことができました。そして、西洋価値観も、未熟な中国価値観並みか、中国価値観以上に偏見と嘘に満ちていると気づきました。これらの経験から、私は中国国民価値観の最も重要な核心を「実事求是の追求」にすべきであり、そして、中国国民価値観の出発点が「実事求是の追求」であるべきだと考えています。

「実事求是の追求」は「実事」の追求、「求」の追求と「是」の追求の３つに分かれています。一中国国民としての自分では、永遠に「実事」と「是」の終点に到達できませんが、「実事」

と「是」を「求める」思想を永遠に持ちたいと思っています。

西側文明を考察するとき、自由・民主・人権・平等・法治などのいろいろな価値観が美しい言葉として私の心に刺さってきます。しかし、冷静に考えたら、その前に、「実事求是の追求」がもっと重要でしょう。

なぜなら、西側諸国に自由・民主・人権・平等・法治があると論じる前に、これらが事実であるかどうかをまず判断することが重要だからです。目の前に広がっている嘘に基づいた西洋価値観の自由・民主・人権・平等・法治の本当の姿は、専制・独裁・金銭・世襲・偏見・植民・覇権ではないかと考えるべきでしょう。「実事求是の追求」の精神で、既存の自由・民主・人権・平等・法治の西洋価値観を疑問視し、改善し、真の自由・民主・人権・平等・法治の価値観を追求しましょう。

海外に行き、外国を観察し、更に外国にいる自分から中国を観察します。このように、祖国と世界の本当の姿を究明することに努力し続けたいです。

これが、私が理解する中国と世界に対する「実事求是の追求」の本当の意味です。

私個人の理解としては、「実事求是の追求」は毛沢東思想と鄧小平理論の中核的な考え方でもあります。毛沢東・鄧小平時代を経て、「実事求是の追求」は中国国民の共同認識になり、中国国民の考え方のベースにもなっています。

歳を重ね、海外にも行き、私は、公然と真実を無視する現代世界の悲惨な現実を実感して、「実事求是の追求」の重要

さを更に感じました。例えば、2022年の悲惨なウクライナ戦争について、テレビとインターネット上に偏見と嘘を自慢する人々しか生きられない現実を見て、恐ろしく感じました。この世界で真実というものがどれだけ貴重になっているか、痛感しました。そして、私は、ウクライナ戦争の報道を見て、政治に興味がない、選挙に行かない今の若者の気持ちを、初めて自分の身を持って同感できました。社会の成り立ちを知らず、ただ世界に対して不信感を持っている今の若者は、偉い人たちの嘘や偏見だらけの言動を見て、今後更に政治から遠ざかっていくのではないでしょうか。政治世界に残るのは、偏見と嘘に洗脳されたものだけです。一緒に、「実事求是の追求」で、この悲惨な世界を打破しましょう。

(二) 自由の追求

私の中国国民価値観では、「実事求是の追求」の次は、「自由の追求」と考えます。

自由とは、他からの強制・拘束・支配などを受けないで、自らの意思や本性に従っていることだと理解して良いでしょう。誰も、自由という美しい言葉を拒否することはできません。一方、この定義では、残念ながら、自分と自国の自由以外、他人と他国の自由も存在するので、現実世界のどこにも、完全に自由な人や国家は存在せず、存在する可能性すらありません。現実に存在するのは、いろいろなレベルの自由です。ですから、「自由の追求」というのは、現実の自身と自国が

持つ自由度のレベルを客観的に認識した上で、それに満足せず、実現不能な理想的な完全な自由の方向を向いて、努力していくことです。

勿論、今の中国は「自由」の国家でもないし、中国国民も現在の自由度のレベルに満足していません。一方、西側諸国から「中国は自由な国ではない」と批判されるとき、われわれ中国人はそれを無視すべきでしょう。なぜなら、批判する立場に立つ人もその人の国家も自由が欠如しているからです。彼らには「中国には自由がない」と交流する資格がありますが、批判する資格がありません。中国を含む全ての国が自由な国ではないというのは当たり前のことです。中国はこれを事実として認識した上で、中国を批判する彼らと議論する必要はありません。完全な「自由な人・国」はどこにも存在しませんが、「自由を追求する人・国」はどこにも存在する可能性があります。中国は、友好国との間で、互いに「自由が足りない」と自覚し、「自由」を議論し、協力して「自由の追求」を目指しましょう。個人も同じです。自身と自国の自由度のレベルを客観的に認識できる一部の西側諸国の国民だけに対して、我ら中国人は「実事求是」の立場で、中国の自由度のレベルの現実を議論し、更に「自由の追求」を議論すべきでしょう。

より具体的な私個人の「自由」認識について紹介したいと思います。中国の小さな山の奥の貧しい農村で生まれた私ですが、小学校を卒業する30年前の1992年（１人当たり名

目GDP423ドル）まで、近くの都市に行く「自由」すらありませんでした。なぜなら、貧しい故郷では交通手段である道路や車が十分にありませんでしたし、家庭からはお小遣いももらえませんでした。家にテレビもない小学生時代の私は、限界の無い青い空と暗闇中のキラキラしている星空を見上げて、自分の故郷以外の世界はどういう世界だろうと時々妄想しました。当時の自分にとって、世界を見る自由は全くありませんでした。自由には、科学技術（例えば移動インフラと移動手段）やお金（例えば交通費）などが必要です。私は一生懸命勉強して、小都市部の中学校の試験に合格し、都市に行く可能性を手に入れました。親も農作業に励み、私の教育費（今と違って、当時故郷では9年義務教育と政府が口でいいながら、事実上それなりの学費が必要でした）を貯めてくれました。同時に、祖国も頑張って、経済を持続的に発展させ、道路などのインフラを整備し、自動車産業も発展しました。このような自身と親と祖国の「自由の追求」で、私は小都市の中学校に入学できました。同じように「自由の追求」で、大都市である天津市の大学での勉強もできました。そして、更なる「自由の追求」で、「中国は自由な国なのか」という疑問を持ち、日本に留学しました。科学技術と金銭などの外在的、物理的な自由の制限との闘いから、思考力や思想力などの内在的、精神的自由の制限との闘いに移行しました。日本を観察して、やっと「自由な人・国家」は存在しないと気づきました。人間はお金や技術、知識などがないと、自由

も手に入りません。しかし、「自由の追求」はできます。お金や技術、知識などを手に入れることは、自由が手に入る可能性が生まれます。国家もそうでしょう。国家経済が持続的に成長すれば、その国家の国民が手に入れることができる自由の可能性も大きくなるでしょう。ですから、「自由を追求する人・国家」が存在するのです。

「中国は自由国家ではない」と批判し、先頭に立つ国は裕福な米国・西欧・日本などの国々です。東南アジア・南米・アフリカなどの途上国はそうしません。先進国と比べると、発展途上国の一員である中国は経済の豊かさに由来する自由度が低いです。今後、中国の国力の増大と共に、経済の豊かさに由来する自由度も増大していくでしょう。そして、今後、中華民族は知識と素質の進化による自由度が増大する時代に入るでしょう。

私にとってはお金に加えて、知識からも自由を得ることができました。貧乏で無知だった小さな自分は、お金と知識のおかげで、今の自由な自分になりました。今後、更に知識を追求して、自分の自由度を高めていきたいと思います。

ですから、「自由の追求」は私の中国国民価値観に含まれるべきです。現在、中国はある程度「自由な国」ですが、「自由の不足」を認識し、永遠に「自由の追求」をしなければなりません。

(三) 民主の追求

「民主」というのは、国の主権が国民にあることです。中国が民主的な国かどうかという判断基準は、中国の一国民が事実上、どのくらい国の主権を行使できるかということではないでしょうか？

「現代民主」の思想は西洋文明から発祥しました。中国は、民主の追求によって、民主主義の国になることを目指します。この「民主主義」というのは、人民が主権を持ち、行使する政治システムのことを意味します。つまり、民主主義は政治制度の１つです。

今の中国人に聞くと、恐らく、ほとんどの人は「自由の追求」を支持します。ただし、「民主の追求」と「民主主義」を支持しますかと聞けば、戸惑いか不支持の回答が多いのではないでしょうか。

なぜなら、西側諸国の独裁世論は今の中国の政治システムが独裁的だと批判し、西側諸国の政治制度が真の民主主義だと決めつけているからです。中国の現状の政治制度を支持したいなら、「民主主義」の追求はできなくなります。更に、一部の中国人自身も中国の政治制度は独裁的、民主主義ではないと判断し、この「独裁システム」が中国国情に合っていると考え、永遠に存続させ、更に強化しようとしています。このように、「自由の追求」と違って、「民主の追求」と「民主主義」に対して、中国国民には多くの誤解がありますし、中国社会の共同認識にもなっていません。今後、混乱を解消

し、共産党独裁を民主化するため、中国はまず、「民主」と「民主主義」の現状に対して、「実事求是」の解釈が急務になります。

現実には、自由と民主は不可分であり、自由を追求し、同時に民主の追求を拒否することは不可能でしょう。そして、言論の自由と政治の自由を追求することは民主と民主主義を追求することとほぼ同じでしょう。

まず中国の民主主義の一種である言論の自由の現状について説明しましょう。普段、われわれ中国国民は、毛沢東・鄧小平・習近平・中国共産党などを評価する自由があります。何か不満がある時、共産党政府が腐敗している、悪い政府だと批判することもできます。普段の生活の中で、家族、友人との会話の中で、このように会話することが多いと思います。われわれの言論の自由は確保されています。勿論、十分ではありません。特に影響が大きいテレビ・新聞・インターネット上の発言はある程度制限されています。次に、中国の民主主義の一種である政治の自由の現状についても説明しましょう。今の中国では、政治上の行動の自由がもっと制限されていると認識すべきでしょう。われわれには普通選挙がありませんから、習近平と共産党を交代させる自由が制限されています。今の中国の政治に関する言論と行動の自由が不十分であることから、われわれは中国社会の民主度が低いことを反省し、「民主の追求」が重要だと認識すべきです。

西側諸国の現状も見てみましょう。西側諸国には、「共産

主義を目指す」言論と行動の自由が十分でしょうか。資本主義と共産主義を客観的に比較・紹介するメディアは存在していますか。世論をコントロールするメディアは資本家階級と政治家官僚システムから独立しているでしょうか。政治上の共産主義を実現する行動の自由が事実上完全に制限されているといっても過言ではありません。明らかに、西側諸国にも、完全な言論の自由も政治行動の自由も十分ではありません。西側諸国がこの事実を無視し、自国には言論の自由、政治行動の自由があり、民主主義国家だというのは嘘でしょう。

また、先進国には普通選挙があるので、政治の自由としての民主主義が確保されていると宣伝しています。選挙とは何ですか。単純にいうと、選挙とは統治者（独裁者）を選ぶということです。つまり、選挙は政治の行政府や立法府の独裁者の選び方です。こう考えると、ほとんどの発展途上国の選挙は悪い統治者の選び方だと結論づけられます。先進国の日本と米国を見てみましょう。政治基盤による世襲・選挙に関わる金銭問題・利益団体の存在など、さまざまな問題が存在します。こんなに問題があっても、日本と米国の選挙は世界の現状から考えれば良い事例です。つまり、たとえ選挙は民主の必須条件としても、現在の選挙方法は民主的ではなく、改善・改革をしないといけないということです。一方、中国には、選挙がほとんどありません。しかし、独裁者の選び方は存在します。西側諸国の選挙のない官僚システムと選挙がある政治家システムは分かれて存在していますが、今の中国

の官僚と政治家の区別ははっきりしていません。大学を卒業した優秀な人材は末端の政府官僚になります。そこから、実績を積んで、共産党の評価システムにより評価され、少しずつ官僚と政治家の階級を上げていきます。つまり、普通の中国国民は官僚を評価する権限を直接持っていません。これは今の中国政治の大きな問題です。政治改革の短期の方向性として、中国国民は直接、官僚と政治家を評価する権限を持つべきでしょう。これを実現する前に一番重要なのは、共産党自身の官僚と政治家の評価システムがちゃんと機能しているかということです。悪い官僚・政治家を罰することができるでしょうか。能力があり、素質の良い官僚・政治家が昇進できますか。そして、選挙の有無と関係なく、そもそもその国の良い人材は政治を目指しますか。官僚と政治家になってから、更に能力を伸ばし、社会を良くしていくことができますか。良い人材が政治を目指さず、当選した政治家の能力と素質を伸ばすことができず、社会改革に役立たないなら、このような選挙は「民主」とは到底いえないでしょう。更に、深く分析すると、先進国の投票過程の公正性はかなり進化してきましたが、政治システム上解決できない問題が多々あります。まず、選挙の前に、政治家と資本家・既得権益者との癒着問題という、解決できないほど深刻な問題が存在します。日本には、あやしい世襲議員問題も存在します。また、選挙結果から見ると、50.1%の票を獲得する人は当選します。これは49.9%の人の自由を侵害します。投票率を見ると、50%

から60％程度の投票率がほとんどで、投票率が30％以下の場合もしばしばあります。60％の投票率で50.1％の得票で当選する場合、全有権者の約30％の支持で当選するということを意味します。これで、本当に民意を代表できるでしょうか。加えて、能力と素質が低い有権者の意思を尊重すべきかという問題も存在します。日本の政治システムは議員内閣制です。自分の選挙区で数万票を獲得したら、国会議員に当選することができます。そして、全国民の民意を代表する総理大臣にもなれます。このような総理大臣は、全国民を代表して良いのでしょうか。米国の場合、しばしば、得票数が少ない人がシステム上、大統領になります。政治の自由としての今の選挙の本質はただの金銭と権力のゲームを通じて、国民の自由を公然と奪います。少しでも思考力がある人は、西側諸国のこのレベルの選挙が民主主義とは無関係だということに気づくでしょう。

つまり、選挙があるからといって、その国が必ずしも「民主主義」的な国とはいえません。

政治と権力が存在する限り、西側諸国も中国と同じ、この政治システム上の独裁的な問題にずっと直面しています。民主選挙から選ばれる総理あるいは大統領はほとんど「表の独裁者」か、「独裁者の一員」にすぎません。西側諸国の独裁政治の本当の独裁者は選挙の裏に隠れており、独裁選挙をコントロールする資本と既得権益者でしょう。

このように、今の中国全体の民主度は先進国より、必ずし

も低いわけではありません。先進国は自身の民主の不十分という事実すら、認識していませんし、反省もできません。先進国は「実事求是」の態度で自身の政治問題を分析・反省・改革しなければなりません。

今後中国は自身の政治制度を客観的に認識し、西側諸国の政治制度と比較し、「民主」の本当の意味を理解する上で、今の政治制度を改革し続け、真の「民主主義」国家になることを目指しましょう。

西側諸国では、民主といえば、議会制・三権分立なども連想されます。政治システム運用上の「三権分立」についても議論しておきましょう。西側諸国は選挙で立法権を持つ国会議員と行政権を持つ大統領を選出します。立法権と行政権は分かれていますが、深く考えると、このシステムの問題も大きいです。立法府を制する政党と大統領が所属する政党が一致する場合、立法権と行政権の厳格な分立はできないでしょう。立法府を制する政党と大統領が所属する政党が異なる場合、立法権と行政権の分立はある程度実現できますが、同時に、政党闘争が激しくなるため、国民のための立法も行政もほとんど上手く進みません。司法権を持つ裁判所システムは選挙がなく、立法府と行政府の協力を得ながら、運用されていますし、完全な権力分立は無理でしょう。そして、この独裁的な三権以外、巨大な選挙なしの官僚システムも存在し、資本家勢力も存在します。西側諸国の権力分立システムはある程度機能しているとしても、「民主主義」とはいえないでしょう。

一言でいうと、「三権分立」とは、一番重要な国民の権利が欠席し、各独裁者が持つ権力の分配だけです。各国は自国の事情を客観的に分析し、自国の事情に合う権力分立システムを確立すべきでしょう。中国も中国国情に合う権力分立システムを確立すべきですし、進化し続けるべきです。

選挙や権力分立、言論の自由、政治行動の自由などは全国民と民族のために存在するべきで、資本と権力者のために存在してはいけません。これが民主と民主主義の判断基準の1つでしょう。

この判断基準によっても、西側諸国は「民主主義」的な国とはいえません。選挙の有無も権力分立も言論の自由も政治行動の自由も、現段階では、中国も西側諸国もいろいろな異なる問題に直面しています。現段階では、比較してどちらが良いか、判断は難しいと思います。あるいは、難しい政治問題に直面する各国は独裁批判合戦ではなく、互いに相手国の良いところを勉強し、各国は協力して自国の民主化を推進します。国民の能力と素質を高め、自国の深刻な政治システムの問題を自覚し、真剣に改善・改革できる国が民主主義的な国に近づきます。

今後、中国は、より広範囲の各種の文明を勉強し、「民主の追求」をし続けるべきでしょう。

現代社会において、あらゆる“権力”を作り出し、行使する時には、慎重になるべきでしょう。西洋文明では、“権力”を慎重に作り出すため、“選挙”を発明しました。そして、“権

力”を慎重に行使するため、“三権分立”を発明しました。現代中国はまず、これらの思想を尊重した上で、「民主」思想を現代中国価値観に取り入れるべきです。

今後中国は、「民主主義」をどうやって実現するでしょうか。古代中国文明では、孟子思想などで“権力者”の道徳・素質を求め、「民主社会」を実現しようとしました。西洋文明では、“法治”・“選挙”・“三権分立”などで、「民主社会」を目指しています。現代中国はこれらを継承し、更に発展させ、中国に相応しい「民主社会」を追求しましょう。

資本と金銭と既得権益者の権力にコントロールされる選挙は必ずしも「民主」と一致することではありません。世界中の国々は選挙の「民主性」のメリットを認めながら、選挙の「独裁性」の問題に対する改革も至急の課題です。

(四) 平等と公平の追求

中国では、大昔から、平等・公平に対する熱い感情があります。『史記』には、「王侯将相，宁有种乎」と記述されています。ですから、中国の歴史上、永遠の皇帝・貴族の家系は存在できませんでした。この中国の「平等と公平の追求」の伝統文化は、西洋文明で発祥した「平等と公平を実現する」共産主義思想と一致し、今後益々進化していくでしょう。格差是正や共同富裕、共産主義社会の実現などは共産党政権の責務です。共同富裕と共産主義社会の実現は「平等と公平の追求」の１つの着地点でしょう。

一方、社会が平等・公平になることは簡単ではありません。平等・公平を強調しすぎると、社会の活力と自由などを損ない、結果的に「平等と公平」に反するかもしれません。更に、平等自体は機会の平等、過程の平等、結果の平等などいろいろあります。そして、平等・公平の判断基準には豊富な知識が必要でしょう。今後、中国経済と文化の進化と共に、平等・公平に対する理解も進み、平等で公平なより良い社会を実現していきましょう。

「平等と公平の追求」は既に中国の共同認識になり、今後この共同認識を進化させていかなければいけません。「平等と公平」の実現は簡単ではないですが、共産主義社会の実現と共に、「平等と公平」も実現するでしょう。中国は、今後の長い間、「平等と公平」を追求し続ける努力が必要でしょう。

(五) 法治の追求

自由の追求、民主の追求、平等と公平の追求という中国価値観を実現するために、ルール（法律）の保証が重要です。法治というのは、法律に従った、法律による、国家統治を実現することです。法治によって、国家統治コストを抑え、中国社会の自由・民主・平等・公平などを確保し、進化させます。

しかし、私たち普通の国民にとって、法律は難しい学問です。更に、行きすぎると、複雑な法律システムにより、社会も複雑化し、最終的に法律格差社会になるリスクも警戒する必要があります。また、独裁社会になっている現段階での中

国は、法治を追求することによって、法治が進むと共に、独裁が益々厳しくなる恐れもあります。

法治に対するメリットとデメリットを認識した上で、中国は法治の認識を向上させ、法治国家になることを目指すべきでしょう。経済の持続的な成長と政治システムの改革によって、最終的に、中国は「法治独裁」を終え、より高レベルな「自由・民主・平等・公平」的な法治共産主義社会を実現します。

(六) 教育の重視・教養の追求

上述の中国価値観を実現するために、中国国民に対する「教育の重視・教養の追求」が重要になると思われます。民主主義選挙の下、ヒトラーとナチスがドイツを支配しました。現在、西側諸国は架空の自由民主の下、「実事」も「是」も「求」も認識できず、実際には独裁国家になっています。これは他人ごとではありません。中国も同じような状況で、あるいは中国がもっと酷くなる可能性も十分あります。反米反西側諸国の名義の下、「民主」の価値観を否定する中国国民が今でも大勢います。今後中国は教育を通して、真の自由・民主・公平・法治などを理解しなければなりません。

幸い、中華文明は昔から教育・知識・科学を重視してきました。中華文化の象徴である儒家の孔子は教育家でもあります。中国人の体の中には、「教育を尊重する・教師を尊敬する」血が流れています。「教育の重視・教養の追求」は中国の国民価値観になりやすいでしょう。

（七）改革理念

世界はずっと変化しています。変化し続けている世界に対応するために、個人も祖国も永遠に改革しないといけません。

実事求是の判断基準は日々変化する可能性がありますので、その変化をキャッチし、改革する必要があります。自由・民主・平等・公平・法治の定義も不変ではありません。それらはただの目標ではなく、それらを日々追求することが中国国民価値観です。日々追求し、つまり、日々改革しないといけないということです。そうしないと、中国は、今の西側諸国のように、現実を認識できず、嘘の自由・民主・法治の国家だと自慢し、実はどんどん独裁的・保守的な国になっていき、衰退していきます。

「追求」という言葉自体に改革の意味が含まれています。例えば「民主の追求」は、日々祖国を民主的に改革するという意味です。しかし、個人も国家も保守的になりやすいでしょう。「改革」を口でいうのは簡単ですが、実行するのは簡単ではありません。ですから、「改革」ということを強調し、日々変化している社会に対して、日々改革していくと心がけていきましょう。

鄧小平の改革開放路線は中国で広く知られています。鄧小平の改革開放路線があったからこそ、中国は今まで発展してきました。今後の中国は、更なる発展のために、更なる改革が必要でしょう。中国にとって、改革は永遠に堅持すべきです。「実事求是の追求、自由の追求、民主の追求、平等と公

平の追求、法治の追求」の中国価値観を実現するために、個人も社会も日々改革することが不可欠です。

(八) 人類運命共同体理念

以上のように、実事求是の追求と改革の理念と教育で教養を高めることによって、自由・民主・平等・公平・法治の共産主義社会を中国で実現していきます。これが、私の中国国民価値観の全てです。

私は、上述の中国国民価値観で、外国人と「価値観交流」をしていきたいと思っています。この交流に当たって、外国の友人と友好国家に対し、「人類運命共同体理念」を私の最後の中国国民価値観として提案します。読者の皆さんが、自分が育った祖国を愛することは当たり前のことであり、逆に言えば愛さないといけません。一方、自身の愛国主義で他国を攻撃してはいけません。真の愛国主義者は同時に、他国の歴史と現在と将来を最大限に尊重すべきでしょう。人類運命共同体とは、自身や自国の利益を追求すると共に他人や他国の利益にも配慮し、皆の共同発展を図ることを中心とする価値観です。中国政府が既に提唱している国家価値観である「人類運命共同体」理念に賛同し、私の中国国民価値観に取り入れ、世界に広げていきたいと思います。美しい地球は1つしかありません。人類は、厳しい環境問題・貧困問題・宗教問題・国境問題などを解決するため、協力しなければなりません。もし、国家間が戦争になれば、全ての参戦国で国民

の命が犠牲となり、国家経済の発展も停滞するでしょう。

第六章

私の中国政治改革モデル

中国共産党と国民における最終目標と最高理念は、「共産主義社会の実現」です。今の中国は、最終目標の共産主義社会を実現するために、初級段階としての社会主義社会であると考えられます。あるいは、今の中国は事実上の共産主義と資本主義の二元矛盾社会です。

現段階での社会主義中国は富を蓄積し、科学と工業及び農業技術の現代化を実現し、民主的かつ文明的な国を建設します。2021年、中国は貧困問題を概ね解決し、今後、「共同富裕」政策をどんどん計画・実行し、真の共産主義社会の構築段階に突入します。

そこで、まずは中国の現状を正しく認識しなければなりません。

(１)今の中国は、独裁者である最高指導者、独裁組織である中国共産党の各級指導部、独裁政党である中国共産党、独裁思想である共産主義思想、そして独裁国民と独裁国家という６つの独裁が同時に存在しています。

（２）自由民主的な共産主義社会を実現することは中国国民

と中国共産党の共同理念と共同目標です。共産主義社会を実現することは共産党独裁を含む全ての中国独裁が終焉することを意味しています。

（3）地方独裁者の頻繁な異動、独裁組織内の「民主集中制」、独裁者の学習制度などによって、共産党の独裁性を抑え、民主性を伸ばし、組織力を増強し、能力と素質を高めていきます。

（4）表1-4に示すように、中国経済は持続的に成長しています。近い将来、中国の1人当たり名目GDPは順次に2万ドル・3万ドル・4万ドル台に達するでしょう。

（5）中国の選挙は機能しておらず、ほとんど行われていません。法治改革も上手く進んでいません。三権分立・共産党と国家の分立なども実現していません。

優れた能力と素質を持つ共産党と、将来いつか必ず消滅する共産党独裁が同時に存在するという矛盾をどうやって解消できるでしょうか。つまり、どうやって優れた中国共産党を崩壊させ、共産党独裁を終焉させ、自由民主的な共産主義社会を中国で実現させることができるでしょうか。

現状での中国共産党の組織力・価値観・理念などを考えると、簡単に中国共産党は崩壊しないでしょう。そして、今の中国では、中国共産党の組織力・価値観・理念に匹敵し、中国国民が支持する新しい組織は存在できないでしょう。もし、今の中国共産党が崩壊したら、中国社会も直ちに混乱に陥るでしょう。そうなると、自由民主的な共産主義社会の実現はもっと遠くなります。考えられるのは、今の中国共産党独裁

を当面存続させ、そして強化させ、最後に共産主義社会が実現すると共に、共産党を解散させることでしょう。

以上の分析により、私の中国政治改革モデルを明確に提示します。

（1）共産党員を増加し共産党組織を浄化します

2019年の中国の1人当たり名目GDPは約10153ドル、中国共産党の党員数は約9000万人でした。今後の経済の発展と共に、共産党の組織力と素質も強化し、共産主義社会の実現を理念とする中国国民をより多く共産党に吸収すべきと提案します。例えば、1人当たり名目GDPが2万ドル台や3万ドル台になる時、共産党員数も2億人や3億人までに増えるべきでしょう。本書の経済予想モデルにより、2050年に中国の1人当たり名目GDPは約39694ドルになります。2050年に中国共産党の党員数も約3億9694万人になっているべきです。勿論、その時、入党したい国民は足りるでしょうか。一方、大幅に増加する共産党員の能力と素質をどうやって担保できるでしょうか。組織の巨大化と共に、共産党の優れた組織能力をどうやって維持し、発展させていけば良いでしょうか。これらの問題は共産党を大幅に増員すると共に、共産主義理念を強化することで解決すべきでしょう。将来の共産党員の大幅な増員のため、私の入党希望も叶えられるかもしれません。同時に、特に鄧小平時代の改革開放後に、金銭と権力のために入党した共産党員の歴史問題に対して、

共産主義理念に転向しないなら、彼らを除党し、共産党を浄化すべきでしょう。このように、将来の共産主義社会を実現するための人材である共産主義者を十分に確保します。

（２）経済の発展と共産党員の増加と共に、共産主義理念を進化させます

共産主義社会を実現するため、国民と権力者は、共に自由・民主・平等・公平・法治などの共産主義理念について深く理解しないといけません。共産主義社会を実現すると共に、権力者の独裁権力をどんどん縮小して、最終的には消滅させます。歴史的な使命を完遂した共産党も最終的に消滅し、共産党独裁も終焉を迎えます。言い換えれば、全ての国民は事実上の共産主義者になり、共産主義社会を実現させます。

（３）地方ごとに慎重に共産主義政策を推進します

経済の持続的な発展によって、今の中国は共産主義社会を実現する土台を完成させつつあります。しかし、毛沢東以来の共産主義を再び全面的に挑戦することは簡単ではありません。民族の知恵を絞って、中国経済や中国社会の実情に合う共産主義政策を、慎重に着実に進めるべきです。特に、中国経済の過大評価と、早すぎる共産主義政策の実行を警戒すべきです。鄧小平時代の経済特区と一国二制度の考えを参考に、まずいくつかの地方の市あるいは省で共産主義社会政策を導入し、共産主義社会の実験をします。導入した共産主義政策が成功すれば、慎重に全国に広げます。共産主義を実験する地方を選ぶべき時期が来たかどうかの判断基準の１つは、１

人当たり名目GDPが3万ドルに達してからだろうと提言します。

（4）教育分野における共産主義政策を推進します

中国価値観には自由・民主・平等・公平・法治・改革・実事求是などが並んでいます。この中国価値観は共産主義の理念と一致しています。これらの理念と価値観を実現するため、教育の促進が不可欠です。中国の1人当たり名目GDPが2万ドルを超えたら、全ての教育を無料化すべきでしょう。そして、1人当たり名目GDPが3万ドルを超えたら、大学レベル以上の全ての学生に対して、学校での勉強を仕事と見なし、税金から学生たちに給料を払うべきと提案します。教育に投資することは、共産主義社会を実現するための持続的な経済発展に投資することと同じです。そして、公平・平等のため、高校までの全ての学生は同じ水準の教育を受ける必要もあります。公平で平等で無料の教育チャンスは今後の中国人権の内在的な要求になります。そして、教育の共産主義化によって、ハイレベルな共産主義思想を持つ、能力と素質が高い中国国民を作り出します。多くの中国共産主義者によって、中国共産主義社会を着実に実現していきます。2022年までの習近平時代に、不平等を生む学習塾を改革する教育分野の共産主義改革が既に始まりました。

（5）農業分野における共産主義政策を推進します

海外の農産物に高い関税をかけ、国内の農業に補助金を出します。今でも、世界中のほとんどの国は自国農業に対して、

十分な市場競争を回避し、国内政策で保護しています。加えて、農業は中国経済の全体に占める割合が低いため、農業の共産主義化による経済全体に対する影響も少ないでしょう。そして、工業・サービス業と比べたら、農業の生産性はとても低いです。社会平等のためにも、農業を先に共産主義化する必要があります。更に、技術的にも、5G・ドローン・自動ロボットなどの新技術の採用によって、農業の機械化と自動化が進むでしょう。ですから、農業は早めに共産主義政策を上手く推進できる分野でしょう。鄧小平時代の農地自由化政策を止め、農地を再び共有化し、毛沢東時代の「農業合作社」システムを復活し、更に進化させていきます。農業の共産主義化についても、大体1人当たり名目GDPが3万ドルを超えたら、推進すべきでしょう。農業の共産主義化の成功はその後、別の産業の共産主義化の経験になります。経済の共産主義化によって、生産性の低下とGDPの停滞を引き起こしてはいけません。共産主義社会は平等且つ高度に豊かな社会にならないといけません。

（6）住宅分野において慎重に共産主義政策を推進します

住宅市場は競争が激しい産業でありながら、各国の政府が国営住宅などを提供するケースも珍しくありません。住宅市場は複雑な産業ですので、慎重に共産主義化すべきでしょう。一方、文明度が高い社会としては、全ての国民に基本的な住宅を保障すべきでしょう。共産主義社会を目指す中国は、1人当たり名目GDPが3万ドルを超えたら、全ての国民に基

本的な住宅を無料で提供すべきだと提案します。全国民に住む住宅があることも今後の中国の基本的な人権になります。一方、普通住宅以外の不動産産業は競争が激しい資本主義産業として、慌てて共産主義化する必要はありません。経済の更なる発展によって、慎重に緩やかに共産主義化すれば良いでしょう。

（７）社会の共産主義化を促進します

１人当たり名目ＧＤＰが4万ドルを超えたら、中国は全ての国民に、例えば月５万円を配る共産主義政策に挑戦します。その後、１人当たり名目ＧＤＰが５万ドル・６万ドルに伸びると共に、毎月の配る額も10万円・15万円に増えると挑戦し続けます。この政策による社会の活性化と経済の持続的な発展などに対する影響を研究し、政策を素早く微調整します。

（８）全面的な共産主義社会を実現します

中国の１人当たり名目GDPが3万ドルを超えたら、上述のように、一部の地域と産業は先に共産主義社会の実現に挑戦し、その地域と産業の労働者たちは先に共産主義者に変貌します。残りの別の地域と市場競争が激しい産業は今の資本主義システムのままで、その地域と産業の労働者階級と資本家階級は引き続き中国の共産主義社会を実現するための土台作りに貢献します。彼らも真の共産主義者として、尊重すべきです。最後に、中国の１人当たり名目GDPが５万ドルを超えたら、中国は全ての地域の全ての経済分野で全面的な共産主義社会の実現に挑戦します。

この過程で、共産主義理念に賛同しない中国人は自由に海外に移住し、西側諸国式の価値観で生活すれば良いのではないでしょうか。そして、中国は共産主義社会を実現しますが、外国の政治体制については各国の内政と考え、関与すべきではないでしょう。

長い社会主義社会の段階を卒業し、中国の夢である共産主義社会をやっと実現します。

これが、私の現時点での中国政治改革モデルです。

第三部

中国と世界の関係についての事実と予想

第一部の経済予想モデルにより、30年後の2050年、中国の名目GDPは日本の約7.92倍、米国の約1.41倍に相当する55.58兆ドルに達します。この経済予想モデルが成立する上で、第二部で共産主義社会を実現するための、私の中国政治改革モデルも提示しました。経済力の増強と政治改革の進展により、中国は世界における存在感を増大させると共に、世界に対する責任も大きくなります。世界は、今後の中国に対して、中国の経済モデル・政治モデル・文化・価値観などを輸出することを求めます。これらの輸出について、中国はまず自身に対する客観的な認識が必要です。それは、今後の中国も以前と変わらず、常に国内問題を多く抱えて、更に持続的に改革しないといけないということです。そして、価値観などを検討する時、中国価値観が他国に適用できるかどうかについて、各国自身で慎重に判断すべきでしょう。他国が中国式の選挙のない共産党独裁政治システムをそのまま採用したら、とんでもない独裁者を生んでしまう可能性を警戒すべきでしょう。問題が多く、持続的に改革を行う必要がある中国は、経済力で世界一になっても、覇権を持つ資格がありません。中国価値観などを輸出することは、平等な交流という方法で世界に貢献すべきでしょう。中国は、2050年の名目GDPが55.58兆ドルに達し、共産主義社会を実現させるために、現在の敵対国家が存在する世界情勢の悪影響を抑え、より良い外部環境を作るため、今からどういう対外経済政治政策を取るべきでしょうか。

第一章

中国が目指す経済圏と共同体

中国はアジア大陸の東側、太平洋の西側に位置し、陸地で国境を接する国は14カ国もあります。この14カ国との間には、概ね良い両国間関係を構築しています。その中で、国境線がいまだ明確になっていないのはインドだけです。印中両国は深刻な国境問題を除けば、文化と価値観などの分野で深い摩擦はありません。むしろ、共に発展途上国である印中両国は、世界情勢に対して、多くの共同利益と共通認識を持っています。加えて、完全自主自立的な印中両国は、領土問題などに対して、共に他国の干渉を激しく拒否し、両国とも、自分の手で領土問題を解決しようという国家戦略において一致しています。昔から、中国は全ての隣国との間にさまざまな和平交流の伝統がありました。勿論、古代の低い文明レベルのせいで、戦争もしばしば発生しました。この過去の戦争に対して、これからの文明レベルで再認識し、解決すべきでしょう。更に、中国はシルクロードを通して、もっと遠い欧州や中東、アフリカまで、さまざまな国や民族と平和的に交流する伝統もありました。

中国の周辺

(一) 東へ

中国の東には戦争（あるいは内戦）状態の北朝鮮と韓国があります。2022年現在、中国は政治上、朝鮮半島の両国とも良好な関係を保っています。北朝鮮・韓国は分離してから70年以上が経ちました。中国は、地域の平和のためにも、1950年代の朝鮮戦争の参加国の責任者としても、今後の南北関係に積極的な役割を果たすべきでしょう。将来、条件が整えば、中国は北京で朝韓協議（6カ国協議を中止し、日米露を排除するシステム）の主催に努めるべきでしょう。今後の朝鮮半島のいかなる戦争も、中国の利益にはなりません。一方、これは朝鮮半島の内政と主権です。この中国の半島戦争反対の政策は中国国家価値観中の「内政不干渉」政策と反します。ですから、中国はこの政策を朝韓両政府と共に共同認識として持つために事前の外交努力をします。半島不戦は中国が出す朝韓両国協議の先行条件です。結果的に、朝韓両国は統一するか、それでも現在の状態のように分離したままか、それは朝鮮民族が決めることです。結果がどちらになるにせよ、最終目的は隣国の朝鮮半島の戦争状態を解消し、中国東北部への戦争危機の影響を完全に取り除くことです。朝鮮半島の和解ができれば、北朝鮮は韓国・中国と一緒に、経済協力を進んで行うでしょう。そして、中国・北朝鮮・韓国は道路と鉄道で結ばれ、統一された交通網・経済圏を目指します。

一方、朝・韓・中は地理上近すぎ、互いに嫌悪や不信感も存在することなど、歴史上さまざまな問題があります。これらの問題も解決すべきでしょう。困難を恐れず、３カ国が互いに努力すれば、最終的に必ず朝韓中経済圏は成功するでしょう。朝韓中経済圏の設立は米軍の朝鮮半島からの撤退を意味します。勿論、今の韓国の経済・政治・文化・軍事などがなかなか米国のコントロールから脱出できないなら、中国は慌てる必要がありません。例えば、朝中両国はまず、互いに利益をもたらす朝中経済圏と朝中共同体を成功させ、その後韓国の加入を静かに待つのも１つの現実的な方法です。

更に東には１人当たり名目GDP約4万ドルの日本があります。インフラ整備の技術が進めば、将来的に、日本までの交通網ができるかもしれませんが、日米同盟の現実と、日中両国間の根深い嫌悪や不信感の中では、日中経済圏の実現は朝韓中経済圏の実現より、更に難しいと思われます。

2019年の時点で、総人口1.26億人・１人当たり名目GDP約4万ドルの日本、総人口0.52億人・１人当たり名目GDP約3万ドルの韓国、そして、総人口14億人・１人当たり名目GDP約１万ドルの中国は、地理的に近く、根底にある文化も似ています。島も半島も大陸も移動することができません。1000年以上の文化交流の歴史も否定することができません。勿論、さまざまな理由から複雑な三カ国の国民感情が存在することも現実です。しかし、経済規模で共に世界10位内の日韓中３カ国が共同経済圏を作れば、３カ国の経済は互いに

強靭性が増し、経済成長率にも良い影響があるでしょう。まさに、世界最強の経済圏の１つといっても過言ではありません。日韓中経済圏を設立する可能性は今の時点で全く見えませんが、今後、３カ国の全ての国民の知恵と文化の寛容性が試されます。

(二) 北へ

中国の北には、モンゴルとロシアがあります。中国はこの両国と良好な関係を保っています。既に、連結する道路・鉄道が存在していますが、経済の発展と共に、より良い経済関係を目指し、互いに利益をもたらす強固なロシア・モンゴル・中国経済圏を実現しようとしています。深い摩擦が存在していない3カ国は、今後、経済規律に沿って、必然的にロシア・モンゴル・中国３カ国経済圏と共同体を実現できるでしょう。

(三) 西へ

中国の西には、中央アジア・中東・欧州・アフリカなどがあります。その中で、カザフスタン、キルギス、タジキスタン、アフガニスタンが中国の隣国です。西には国が多く、各国の経済発展水準も異なります。既に、欧州までの道路と鉄道が存在していますが、より良い欧州とアフリカまでの交通網の構築には今後何十年もかかると予想されます。

欧州は西洋文明の発祥の地です。そのため、西洋価値観と中国価値観の激しい摩擦は不可避でしょう。中国は今の中国

経済と価値観を改善・発展させながら、欧州の経済と西洋価値観と積極的に対話し続ける必要があります。アフリカの国々はほとんど発展途上国で、中国と同様に、経済・政治・法律・文化などの分野でさまざまな問題が存在しています。更に、アフリカ大陸は犯罪・内乱・内戦も多く発生しています。中国はアフリカより、およそ20年か30年ほど早く、社会が進みました。アフリカの現在の問題は中国自身も近年経験したことであり、その解決策もある程度理解しています。中国の対策がアフリカに通用するかどうかは別にして、少なくとも、アフリカは中国の経験を参考するため、中国との深い交流が必要でしょう。中国の知恵がアフリカのために役に立つなら、中国はアフリカの発展を手伝うべきでしょう。

また、近年、アフリカ・中東から大勢の難民がヨーロッパに移住しようとしています。原因は、戦争・内戦・内政対立などによって、アフリカ・中東の多くの国が不安定になっているためで、それに伴い、経済もなかなか発展しません。多くの難民がヨーロッパへの移動途上で犠牲になりました。これは大きな人道的災難です。そして、これらの難民がようやくヨーロッパに移住できたとしても、今度はヨーロッパの社会不安の要素になるかもしれません。ヨーロッパは人口不足で、移民が欲しいとしても、安定したアフリカ・中東の国から素質が高い移民を求めたほうがヨーロッパ社会の安定と発展により寄与するでしょう。一方、アフリカの支援のためには、中国の力だけでは、効果が薄いでしょう。つまり、アフ

リカ・中東の国々の経済と社会の発展は、ヨーロッパと中国の共同目標と共同利益にするべきです。ヨーロッパの近くにある中東とアフリカは今後絶対に戦争を起こしてはいけません。そして、2022年のウクライナ戦争は中国の経済圏構想と欧州の経済環境に共に大きな被害を与えました。今後、利益が一致するヨーロッパと中国は連携して、戦争のない「アフリカ・欧州・アジア三大陸経済圏」の構築と繁栄を目指すべきでしょう。これは、欧州と中国の最大の共同利益と共同理念にするべきでしょう。特にドイツ・フランス・ロシア・インド・中国などはこの地域の大国として、責任を負うべきです。もし、ドイツとフランスは中国と共に、アフリカ・欧州・アジア三大陸でのあらゆる戦争に反対することを共同利益・共同理念として構築できれば、西洋価値観と中国価値観の摩擦の解決にも役に立つでしょう。

国の数と経済規模を考えると、近い将来、「アフリカ・欧州・アジア三大陸経済圏」の設立は中国の対外経済政策の最重要課題です。中でも、中国にとって、欧州・中国経済圏の設立は一番核心的で、実現するのが一番困難でもあります。同時に、相対的に実現しやすいアフリカ・中国経済圏、中東・中国経済圏、中央アジア・中国経済圏も各々進みます。最終的に、「アフリカ・欧州・アジア三大陸経済圏」を確立します。そして、この地域に、アフリカ価値観・中東価値観・西洋価値観・ロシア価値観・中国価値観などいろいろな価値観が存在し、平等的な対話を進めるべきでしょう。ロシア・ウクラ

イナ・アフガニスタン・シリア・イラン・イラク・アフリカ諸国などの国々は戦争をなくし、共に安定して発展することを目指しましょう。

例えば、西にあるアフガニスタンは、中国の新疆ウイグル自治区と隣接しています。国力では大小や強弱がありますが、全ての国家は平等であるべきです。長年内戦状態に陥っていた弱国アフガニスタンはどこの国よりも、平和と発展を望んでいます。2021年9月に、アフガニスタンから、ようやく米国の軍隊が撤退しました。2001年に米国の軍隊がアフガニスタンを侵略してから、アフガニスタンは内戦状態に陥りました。20年間もアフガニスタンを実質的に植民統治していた米国はアフガニスタンに自由・民主・人権・平等・法治・発展をもたらしていません。そして、米国はアフガニスタンに隣接する中国の新疆自治区で大量虐殺が存在すると公然と嘘をいい、中国新疆に対する制裁を強め、アフガニスタンの混乱を中国の新疆と中国全体に広げようとしていました。2021年以降、米国軍隊の撤退によって、米国のこの計画はほぼ失敗に終わりました。そして、ようやく、中国価値観とアフガニスタン価値観が、平等に対話するチャンスが到来しました。隣接する新疆とアフガニスタンは文化的に近いので、今後の両地域の共同発展を楽しみにしていきましょう。将来的には、アフガニスタンと新疆の間にある国境を越えて自由に往来できるように、中国は努力していきます。勿論、両国間の文化と宗教の違いは非常に大きいですが、アフガニスタ

ンと中国が共に努力すれば、必ず、いつかアフガニスタン・中国経済圏と共同体が設立できるでしょう。いつか必ず安定・繁栄するアフガニスタンが実現するでしょう。

(四)南へ

中国の南には、東南アジア諸国・インド・パキスタン・オーストラリア・ニュージーランド・南太平洋の各島国などがあります。その中には中国は、パキスタン・インド・ネパール・ブータン・ミャンマー・ラオス・ベトナムなど7カ国と国境を接しています。東南アジア諸国と中国の間の「アセアン・中国経済圏」は中国にとって、「アフリカ・欧州・アジア三大陸経済圏」に次ぎ、現段階での実現可能性が高く、2番目に重要な経済圏です。アセアンにはアセアン諸国と中国の交流に役に立つ華僑も多数存在します。そして、「アセアン・中国経済圏」は既にだいぶ進んでいます。今後、互いに利益をもたらす関係を更に強化していくでしょう。

パキスタンは中国の伝統的な友好国です。パキスタンの内政不安定が大きな挑戦にはなりますが、今後、パキスタン・中国経済圏の更なる推進も予想されます。大国インドは中国にとって、大問題です。深刻な国境問題は解決していないため、互いに不信感を募らせています。インド・中国経済圏を実現するハードルは高く、実現する時期も遅いでしょう。一方、共に長年侵略・占領された歴史を持つインドと中国は、自国の命運を懸けて他国の発展を阻止するという価値観が存在し

ません。更に、印中両国は共に「不加盟政策」をとり、完全自立自主的な国でもあり、世界情勢に対する認識が非常に似ています。共に巨大発展途上国としての印中両国は思想と価値観が近いため、必ず、歴史問題・領土問題と外交問題をいつか平和的に解決して、良好な両国関係を築き、最終的にインド・中国経済圏と共同体が実現するでしょう。

西南方面の隣国の中には、ミャンマーもいます。2021年に軍事政権が誕生し、ミャンマー社会は大混乱に陥っています。ミャンマーと国境で隣接している中国の雲南省も度々ミャンマー内戦から爆弾被害を受けました。しかし、2021年の中国では内政不干渉政策によって、ミャンマーを助けることができず、見守ることしかできません。今後、もし中国の国力と価値観が強くなれば、中国と関係の強い国が混乱に陥った時、中国は中国主導のシステムで、相手国をできる限り助けるべきでしょう。中国は今、隣国ミャンマーで早く国内の各勢力の和解が進み、再び社会が安定し、経済発展の軌道に乗ることを願っています。アフガニスタンと同様に、いつか、ミャンマーと中国は国境を越えて自由に交流ができるようなミャンマー・中国経済圏と共同体になってほしいです。

(五)南米と北米へ

中国の東には、太平洋を挟んで、南米大陸と北米大陸があります。

南米諸国の価値観と中国価値観の間には大きな摩擦はあり

ませんし、今後も平等な対話を続けるでしょう。今後、中国経済の発展と共に、南米・中国経済圏と共同体も少しずつ順調に進むでしょう。

そして、北米大陸には地球最強の経済大国である米国があります。1979年1月1日、米国と中華民国（台湾）の国交断絶と同時に、米中は国交を結びました。以降、米中交流がどんどん広がっています。気がつけば、既に米中双方に巨大な利益をもたらす米中経済圏と共同体が自然にできていたといっても過言ではありません。しかし、2018年以降、トランプ元大統領の下、米中経済の分離が始まりました。約40年掛けて成立してきた米中経済圏が破壊されるピンチに陥りました。米国は中国のファーウェイなどのハイテク企業を潰そうとしています。中国も、国家安全保障上の理由で、米国離れを強めています。もしかすると、近い将来、米中両国は経済圏を解消し、米中経済貿易・人的交流がゼロになるかもしれません。大使館も撤退するかもしれません。そして、両国とも自国民の人命のために、真剣に戦争を準備するような事態にもなりかねません。互いに相手国に経済利益がなければ、米中戦争に陥るリスクは更に高くなるでしょう。

しかし、2019年の米国は人口が3.3億人、名目GDPは中国の1.5倍に相当する21.3兆ドル、1人当たり名目GDPは中国の6.4倍に相当する64767ドルの超大国です。米中経済圏は今の中国にとって大きなメリットがあります。米国のハイレベルな科学技術や広大な市場、莫大な資本などは中国経

済の発展に大きく役に立つでしょう。中国経済の発展のため、中国は米中経済圏を更に発展させる必要があります。表面上の口実としての米国の中国人権懸念や独裁懸念などについては、積極的に中国価値観を米国に輸出し、それらを解消します。そして、本質である中国が米国の覇権を脅かす懸念については、中国は米国に対して、米中経済圏が米中両国の共同利益であると説得し、米国に覇権の放棄を促し、米国の中国潰しが不可能であること、また、米中経済が分離すれば、米国の覇権の崩壊が加速してしまうと認識する必要性を訴えます。中国はこのようにあらゆる努力をして、米中経済圏を何とか維持し、発展させていきます。

(六) 中国グローバル経済圏

2016年、前覇権国イギリスのEU離脱決定と現覇権国のトランプ元大統領の「米国ファースト政策」の明確化が象徴するように、現在の世界各国は利益分配に不満を持ち、反グローバル経済状況になっています。第二次世界大戦後70年以上も経った現在の世界は、再び利益分配に不満を抱えている各国国民の感情を利用し、民族主義、愛国主義、人種主義、宗教主義、自国価値観などが激しく主張されています。しかし、どんな国でも自国が閉鎖すると、近い将来必ず衰退するでしょう。そして、現状に不満を抱えている各国は自国の利益のため、安易に敵国を作り、国家間制裁・摩擦と戦争を煽っています。今の世界情勢は極めて不安定な状態になりつつあ

り、世界大戦はいつでもどこでも起こりそうです。

しかし、戦争が起こったら、ほぼ全ての参戦国は崩壊します。戦争で他国が損をし、自国だけが利益を得るのは、軍国主義的考え方です。今の中国は世界に対して、巨大共同利益を作り出し、各国と共有する義務があります。中国は、自国を含む世界経済の持続的な成長のために、できれば、地球上全ての国との関係を良くし、自由に貿易し、深く交流できるように目指すべきでしょう。つまり、理想論として、中国グローバル経済圏はできる限り、米国と日本などを含む全ての国に入ってほしいと考えています。言い換えれば、中国グローバル経済圏は、米国グローバル経済圏・日本グローバル経済圏・欧州グローバル経済圏など全ての国のグローバル経済圏と融合させます。

一帯一路経済圏構想

前節では、中国の周りの国々を紹介し、中国グローバル経済圏の構築について提起しました。理想としては、中国グローバル経済圏は地球上の全ての国を含むべきです。しかし、これはすぐには実現しがたいものです。一番の理由としては、現覇権国である米国との関係悪化です。米中経済は今後、どんどん分離していく可能性が十分あります。そして、最悪の場合、米国の同盟国であるイギリス・日本・カナダ・オーストラリアの４カ国も、中国経済と関係を断つでしょう。中国

グローバル経済圏を構築するとき、最悪の状況を予想し、米国・イギリス・日本・カナダ・オーストラリア5カ国との経済分断・国交断絶のリスクを考慮しつつ、進むべきでしょう。

地球上には、米国などを除いても、約200カ国が存在しています。いまだ発展途上国としての中国はどうやって中国グローバル経済圏を作れば良いのでしょうか。中国グローバル経済圏を成功させるため、有限な中国国力を効率良く使わなければいけません。この試みは、2013年に提唱した「一帯一路経済圏」構想です。中国は、一見、バラバラになっている中国と世界各国の関係を「一帯一路経済圏」構想でまとめ、中国の国力を最大限に発揮させます。これによって、中国を含む「一帯一路経済圏」の参加国が持続的に発展していくことを追求します。

(一)一帯一路経済圏構想の背景・提起と推進

中国にとって、現実的に一番重要な経済圏は「アフリカ・欧州・アジア三大陸経済圏」です。この経済圏の成功は、中国グローバル経済圏の最低限の成功の保証です。勿論、これも多大な困難に直面しています。この地域には、戦争も多く、域外のイギリスと米国の利益も存在しています。そして、最も難しいのは、欧州の西洋価値観と中国価値観の交流と摩擦です。中国にとって、現実的に2番目に重要な経済圏は「アセアン・中国経済圏」です。中国にとって最重要課題である「アフリカ・欧州・アジア三大陸経済圏」と「アセアン・中

国経済圏」の構築を具体的に効率良く推進するため、2013年に中国は「一帯一路経済圏構想」を提唱しました。

中国は「2016年の前覇権国であるイギリスのEU離脱（投票結果）と2016年の現覇権国のトランプ元大統領の米国ファースト政策」を予測し、3年早い2013年にその対策を打ち出しました。つまり、英米が2016年から反グローバル経済政策を明白に実行する3年前の2013年から、中国は将来の英米の政策転換からもたらされる中国と世界に対する悪影響を最小限に抑えるために、一帯一路経済圏構想を着々と実行してきました。なぜなら、英米からの大きな障害（例えば2020年から反中国の米日豪印価値観集団と米英豪軍事集団の設立、中国が予測もできなかった米国または英米主導の2022年のウクライナ戦争の発生、2022年のIPEF経済連携、2022年の米国衆議院議長の台湾入りなど）を払拭するためにも、英米が政策を転換する前に、弱い立場である中国は先手で対策を打つ必要があります。更に、「アフリカ・欧州・アジア三大陸経済圏」と「アセアン・中国経済圏」の構築自体も、多大な困難を伴いますから、更に時間が必要です。「アフリカ・欧州・アジア三大陸経済圏」は一帯一路経済圏の「一帯」で、中国にとって現実的に一番重要な経済圏です。理論的には、米中経済圏あるいは日韓中経済圏は中国にとって同等に重要な経済圏ですが、実現性を考えると、三大陸経済圏は今の中国が推進すべき最重要経済圏です。バイデン米大統領が就任する前とメルケルドイツ元首相が退任する

前の2020年12月30日に、EU・中国包括的投資協定交渉が急遽完成しました。2022年現在、協定は凍結されていますが、中国は余裕を持って見守っています。いつか必ず復活し、そして更に進化していく本協定は「欧州・中国経済圏」と「一帯一路経済圏」の成功のために、役立つでしょう。

一方、「アセアン・中国経済圏」は一帯一路経済圏の「一路」です。幸いなことに、アセアン・中国経済圏は近年非常に順調に進んでいます。アセアン諸国にはほぼ中国価値観と対立する西洋価値観が存在していません。アセアン価値観と中国価値観は平等の環境の下、交流できるでしょう。そして、シンガポール・マレーシア・インドネシア・フィリピン・タイなどの国々には、大勢の華僑も存在しています。華僑たちはアセアン・中国の経済交流と価値観交流の橋渡し役になるでしょう。勿論、中国もアセアンも共に大きな国内問題を抱えて、今後も互いに改革・改善を続けるべきでしょう。「アセアン・中国経済圏」の推進はアセアンと中国に互いに利益をもたらすなら、今後益々発展し、成功するでしょう。2020年11月15日に、アセアン諸国・日本・韓国・中国・オーストラリア・ニュージーランドは東アジア地域包括的経済連携（RCEP）協定に署名しました。本協定は「アセアン・中国経済圏」の成功のために、役に立つでしょう。

つまり、2020年は一帯一路経済圏構想が大きく前進した１年です。EU・中国包括的投資協定とRCEP協定の推進は中国の今後の重要な国家戦略です。特にEU・中国包括的投

資協定は2022年のウクライナ戦争の影響もあり、実現するために何年かかかりそうですが、中国は静かに見守って、実現するタイミングを狙います。

同時に、興味深いことが現れました。一帯一路経済圏に強く反対し、近い将来中国との経済分断や国交断絶の恐れがあった日本とオーストラリア（2020年からの反中国の米日豪印価値観集団と2021年からの米英豪軍事集団と2022年からのIPEFの主要参加国）は、中国の一帯一路経済圏の成功に役立つRCEPに加盟しています。もしかすると、RCEPの存在のおかげで、予想していた将来の日中と豪中の経済分断や国交断絶を回避できるかもしれません。つまり、核心的な一帯一路経済圏以外の、日本・中国経済圏、オーストラリア・中国経済圏に対して、RCEP協定は役に立つでしょう。更に、これらの経済圏はいつか一帯一路経済圏の一部になるかもしれません。そして、一帯一路経済圏構想を成功させるため、中国は今、日本がリードするCPTPP構想を利用しようと慎重に模索しています。

（二）一帯一路経済圏の現状

2022年2月時点で、中国政府は148カ国、32の国際組織との間で、200件以上の一帯一路経済圏に関する政府間協力文書に署名しています。こんなに土台ができた一帯一路経済圏は、今後も多大な困難に直面しながら、成功に近づいていくでしょう。「一帯一路経済圏」共同構築に関与する国は、

すでにアジア、ヨーロッパ、アフリカ、ラテンアメリカ、南太平洋地域に広がっています。2019年3月にはG7で初となるイタリアが覚書に調印したことが話題となりました。イタリアはEU諸国で「一帯一路経済圏」覚書を締結している16カ国目になりましたが、EUの中核国の1つとG7の一角であるイタリアの覚書調印は、一帯一路経済圏が順調にいっている証しです。また、欧州のギリシャ、ポルトガル、マルタなども既に「一帯一路経済圏」構想のコミュニティに加わっています。次に加入する大国は、恐らく、ウクライナ戦争が終結後のフランスとドイツでしょう。

一帯一路経済圏の現状について、更に具体的に検証しましょう。結論からいってしまうと、2022年時点での一帯一路とは、その名称から受ける印象とは異なり、「シルクロード経済ベルト」と「21世紀海上シルクロード」から更に枝分かれし、複数の回廊から構成され、より複雑な構造から成り立っているということです。そして、何年後か何十年後かには、米国を含む全ての国々の加盟を計画しています。

2022年時点での「シルクロード経済ベルト」は下記の3つのルートがあります。

（1）中国西北、東北から中央アジア、ロシアを経てヨーロッパ、バルト海に至るルート

（2）中国西北から中央アジア、西アジアを経て、ペルシア湾、地中海に至るルート

（3）中国西南からインドシナ半島を経て、インド洋に至る

ルート

これらのルートは、既に貨物鉄道で連結しています。近い将来、アフリカまで延びるでしょう。更に、東欧・中東・アフリカなどの地域で戦争がなくなれば、人を乗せる高速鉄道と高速道路もどんどん敷設されていくでしょう。将来的には、中国国民は次世代自動車で、一帯一路経済圏の高速道路を走って、イラク・イラン・シリア・ドイツ・フランス・アフリカ大陸まで旅行に出かけられるようになるかもしれません。

また、2022年時点での「21世紀海上シルクロード」にも2つのルートが存在します。

（1）中国の沿海港から南シナ海を通り、マラッカ海峡を経て、インド洋に到達し、更にヨーロッパへ延びていくルート

（2）中国の沿海港から南シナ海を通り、更に太平洋へ延びていくルート

更に、今後、万が一、日本や米国などの国も協力すれば、中国・韓国・日本ルート、中国・米国・カナダルートも加わるでしょう。

（三）一帯一路経済圏の更なる推進

今後の一帯一路経済圏はどうなるのでしょうか。

時系列で検証し、一帯一路経済圏の将来を予想します。2013年、習近平により、一帯一路経済圏構想が提起されました。2015年韓国とロシアは一帯一路経済圏に協力すると表明しました。2017年にはシンガポールとニュージーラン

ドが、2018年にはギリシャが、2019年にはイタリアも一帯一路経済圏に協力すると表明しました。2022年の2月までに、148カ国が一帯一路経済圏に協力すると表明しました。

今後は、一帯一路経済圏に参加しないと、中国の巨大工場と巨大市場を上手く利用できなくなるでしょう。恐らく2032年頃までに、米国・日本・イギリス・カナダ・オーストラリア5カ国以外の国々はほとんど一帯一路経済圏に協力すると表明するでしょう。

一帯一路経済圏に参加している国は、発展途上国が圧倒的に多いです。勿論、これは当然のことです。地球上で圧倒的に多いのは、持続的な成長を希望している発展途上国です。これらの発展途上国は、自国の自由・民主・人権・法治などを促進するため、年平均約5～10％の高い経済成長率で発展していく必要があるでしょう。多くの発展途上国は若い人が多く、1人当たり名目GDPが小さく、1980年代の改革開放初期の中国ととても似ています。中国と同じく、これらの発展途上国は何十年も高度成長を続ける可能性が十分にあります。そして、この経済発展の過程で、政治・社会などの分野でも中国と一緒に改革していきましょう。

発展途上国以外では、2022年までに、韓国・ロシア・シンガポール・ニュージーランド・ギリシャ・イタリアなどの先進的な国々も一帯一路経済圏に協力すると契約しました。中国はこれらの国々と協調関係を結び、一緒に発展していきます。2032年までには、ブラジル・フランス・ドイツなど

が参加することも期待できます。これらの国々が参加すれば、一帯一路経済圏はほぼ完成するといえます。残りの国が参加するかどうかはもう重要ではありません。恐らく、中国との戦争がない限り、オーストラリア・カナダ・イギリス・日本・米国も最終的に参加するでしょう。

一帯一路経済圏は、戦争がなく、難民を作らない、より平等な国家間関係、より高い経済成長率が実現できる経済圏になるでしょう。

一方、巨大な一帯一路経済圏をけん引するため、中国だけでは力不足なので、先進国の力も必要でしょう。しかし、米国・日本・イギリスなどからの協力がなくても、成功させる覚悟が必要です。逆に、米国・日本・イギリスなどが巨大な中国市場と更に大きい中国一帯一路経済圏に加入しないなら、益々国力が弱くなるかもしれません。2020年の年末に「欧中投資協定」を結んだ欧州の先進国は、将来、恐らく中国と摩擦しながらも、一緒に一帯一路経済圏をけん引していくでしょう。なんといっても、シリア・イラク・リビア・アフガニスタン・ウクライナを含むアジア・アフリカ・欧州の三大陸の非戦争と繁栄が欧州と中国の最大の共同利益です。この大義名分の下、欧州価値観と中国価値観の対話の土台を固め、時間と共に欧中経済圏を更に前進させることができるでしょう。同時に、米国とイギリスからの妨害も益々強くなると考えられますが、欧州と中国は必ず協力して困難を超えて、一帯一路経済圏を成功させるでしょう。

2003年に米国は、わけがわからない白い粉を出して、これがイラクの大量破壊兵器だと断定し、イラクを侵攻し、その後更に中東とアフリカ大陸の国々などを混乱させ、欧州大陸に難民問題を意図的にもたらしました。2021年の米国は、わけがわからない報告書を出して、新疆に民族大虐殺が存在すると断定し、中国制裁を強めています。そして、台湾・香港・南シナ海・チベットなどいろいろな分野で中国を混乱させています。2022年に、米国の長年の戦略の効果で、一帯一路経済圏上、重要な位置にあるウクライナとロシアが戦争に陥り、一帯一路経済圏に大きい打撃を与えましたが、イギリスを除く欧州の国々は、中国以上に、難民問題と経済問題で苦しくなるでしょう。2022年までに国力が増強していた中国はこれらの問題に対してある程度上手く対処できましたが、長年経済が停滞している欧州大陸は今後どうなるでしょうか？　将来、欧州と中国は一帯一路経済圏内のこのような戦争を絶対に許すことはできません。中国は将来のロシア・ウクライナと協力して、共に2022年のウクライナ戦争の原因を徹底的に追求し、戦争を煽る米国とイギリスを制裁すべきでしょう。これは、今後世界一になる中国の世界平和に対する責務です。

つまり、中国は一帯一路経済圏の参加国と一緒に発展しながら、妨害する米国に徹底的に対処します。最終的に、中国は米国に戦争罪を反省させた上で、米国の過去を清算し、米国の一帯一路経済圏の加入を認めます。

中国を中心とする「平和と発展協力機構」の提案

中国は、国際関係上、長年、「平和五原則」を堅持し、不同盟の政策を取ってきました。中国は同盟しないという政策によって、中国の国家間関係の自主性と独立性を最大限に持つメリットがあります。一方、関係国の不利益から中国に影響するデメリットもあります。例えば、中国が予想もできなかった2022年のウクライナ戦争は一帯一路経済圏構想に大きなダメージを与えています。本来、中国は、一帯一路経済圏構想の重要な参加国としてのウクライナとロシアに対して、両国間の戦争を阻止しなければいけません。中国はウクライナ戦争を予想もできず、発生してから阻止することも全くできません。一帯一路経済圏構想の安全な運営を確保するため、今後の中国は何をすべきでしょうか？

本書は、中国の経済規模が世界一になる2032年頃から、中国を含むすべての参加国が平等に共有する「一帯一路経済圏」構想とは別に、中国を中心とする不平等な「平和と発展協力機構」を推進すべきだと提案します。中国の国策は不同盟ですが、「平和と発展協力機構」の構想はこの国策を堅持しながら、同盟しないデメリットを軽減します。つまり、一種の中国式の柔軟な同盟政策です。

「平和と発展協力機構」構想は中国が提起し、更に中国が完全に主導します。参加国の選別は提起国である中国の特権です。議論する問題も中国が完全に主導し、経済問題以外、政

治や軍事、価値観などさまざまな分野で協議します。最終的に、中国は、世界一の国力を持って、「平和と発展協力機構」に参加する全ての国の発展と安全を保証します。

2022年までの情報で、2032年頃発足する「平和と発展協力機構」に参加してほしい国を予想します。

（1）ウクライナとロシアを参加させたいと考えられます。両国が中国の一帯一路経済圏の重要な位置にあり、中国の一帯一路経済圏の利益を守るため、今後絶対に両国間で戦争が起こらないように、中国は主導すべきです。世界一の経済大国になった2032年の中国は、その国力を発揮して、ロシアとウクライナの協力を得ながら、ロシアとウクライナ両国間の歴史・民族・利益の関係を整理し、両国の友好関係を結ばせます。最終的に、「ウクライナ・ロシア・中国平和と発展協力機構」を構築し、中国がウクライナとロシア双方の発展と安全を保証します。一方、2022年のロシアの侵略で、ウクライナは大変な被害を受けました。ロシアの国力も戦争で大きく損なわれるでしょう。戦争が終結した時、今のウクライナという国が存在できるかどうかも、2022年の時点で疑問視すべき点です。国の政治リーダーたちの能力と素質が低ければ、国と民族が衰退・崩壊する恐れが大きくなります。そして、その国の国民が一番の被害を受けます。

（2）アフガニスタンを参加させます。アフガニスタンは中国の新疆と隣接しており、新疆の安定と繁栄のため、アフガニスタンの安定と繁栄が重要です。2032年頃、「アフガニス

タン・中国平和と発展協力機構」を構築します。
（３）「ミャンマー・中国平和と発展協力機構」を構築します。
（４）「朝鮮半島・中国平和と発展協力機構」を構築します。
（５）2022年以降、米国との関係が悪化すると予想されるサウジアラビアなどの中東の国々に中国は注目すべきです。長年米国に保護された中東の独裁国に対して、米国は今後中東諸国の利用利益が薄くなったため、独裁阻止と自由・民主・人権の確保の名目で、サウジアラビアなどの中東の国々を制裁侵略し、中東を混乱させ、米国の新しい世界戦略を推進するでしょう。中国は一帯一路経済圏の利益を守るため、「中東・中国平和と発展協力機構」を構築し、あらゆる中東戦争に対して強く反対し、中東の国々の安全を全力で保障し、戦争をもたらす米国の新中東戦略を阻止します。
（６）持続的な成長を必要とするアフリカ諸国にも注目すべきでしょう。西側諸国の植民地だったアフリカの歴史・民族・利益の関係を整理し、2032年頃に、「アフリカ・中国平和と発展協力機構」を構築します。

このように、中国は一帯一路経済圏の利益を守るため、中国を中心とするいくつかの「平和と発展協力機構」を構築すべきと提案します。そして、これらの個別の平和と発展協力機構を総括して、「中国平和と発展協力機構」が北京で成立します。

2032年頃から中国は戦略を変えて、国内情勢と国外関係

が不安定な国々に対して、一帯一路経済圏に参加し続けたいなら、「中国平和と発展協力機構」である中国との準政治軍事同盟関係の参加を強要します。中国は強くなった国力で、この準同盟構想の推進によって、アフリカ・欧州・アジア三大陸の国々のあらゆる戦争リスクを解消し、一帯一路経済圏の成功を政治と軍事面から保証します。

勿論、政治と軍事面で一帯一路経済圏の推進を保証すると共に、文化方面も強化すべきでしょう。中華文化と中国価値観の輸出にも力を入れるべきでしょう。これは、中国と一帯一路経済圏の国々との間で互いに留学促進や旅行促進などの人的交流で実現します。例えば、年に100万人の「一帯一路留学生交流計画」を提案します。これから、一帯一路経済圏を順調に進めるため、相手国を知る人材が多く必要でしょう。

第二章

米中関係

中国の国際戦略では、「一帯一路経済圏」構想の推進は最重要課題です。ほぼ全ての中国の外交関係は「一帯一路経済圏」構想の推進と関係しています。この「一帯一路経済圏」構想の中で、米中関係はどうなるでしょうか。

米中関係が悪化している現状を考えると、中国はできれば米国との関係を断ち、米国を無視したいと考えているでしょう。しかし、世界一の覇権国である米国に対して、名目GDPも1人当たり名目GDPも低く、弱い立場である中国は経済発展のため、このような感情的な対応を取る資格がありません。なぜなら、中国は、米国そして米国の同盟国から、先進技術や膨大な資本、広大な市場などが欲しいからです。逆に、近年、米国は、中国の著しい経済発展を受け、それを阻止するため、ある程度、中国との関係を断絶しようとしています。そうであるなら中国は逆の立場を取り、米中経済圏を更に推進して、米国の資本や技術、利益などを中国の巨大工場と巨大市場に流入・依存させるような政策を取るべきでしょう。例えば、Appleの中国工場と市場に対する依存を高めます。また、

2019年の米中経済戦争の真っ最中に、将来の自動車産業の方向性の１つである電気自動車業界の先頭を走っているテスラの工場建設誘致に成功しました。今後、テスラの資本や技術、利益などを、中国市場と工場に更に依存させます。このように、中国は米中経済圏・共同体の推進によって、米国の中国断絶戦略のコストをいかに大きくさせます。

しかし、中国人が正しく認識すべきことは米中共同体も米中断絶も中国の目的ではなく、中国の目的を達成する一手段にすぎないということです。中国の本当の目的は、短期的には2032年頃に経済規模で世界一になり、中長期的には例えば本書の第一部に示したような2050年までの持続的な中度経済成長です。現覇権国である米国はどうしてもそれを阻止したいと推測できます。中国は目標を達成するため、あらゆるリスクを想定し、経済、政治、文化、軍事などの全ての分野で、十分な対応を準備しないといけません。経済面では一帯一路経済圏の推進、政治面では共産主義社会の実現、文化面では中国価値観の進化、そして、軍事面では米国と対抗できるような軍事力の構築と「中国平和と発展協力機構」の推進など、中国はさまざまなことを準備していきます。本章では米中経済戦争と最悪のシナリオである米中軍事戦争について検討します。

2009年頃、米国は「米中二極体制」というG2構想を提起しましたが、中国はそれに応じませんでした。なぜでしょうか？　米国のG2構想は米中経済圏の構築に確かに役に立

ちますが、同時に米国の覇権を強め、中国の独立性が失われ、中国が求めている、覇権のない世界秩序の中の平等な米中関係に基づく米中経済圏とは異なるからです。中国はあらゆる覇権も求めてはいません。中国はG2の一員になることも、G1になることもしません。極端なことをいえば、2032年頃、経済規模で世界一になっても、米国がかつてのイギリスから覇権を譲られたように、中国に覇権を平和的に譲ろうとしても、中国は応じません。米中G2構想は失敗に終わり、今度米国は米中経済戦争を仕掛けてきました。2018年頃から、世界中は米中が覇権争いをしていると盛んに議論していますが、これは米国を含む西側諸国の妄想です。勝ち目のない弱い立場の中国が米中覇権争いに参加するわけがありません。米中経済戦争をするにしても、米中軍事戦争をするにしても、弱い中国は莫大な損失を払わなければならないことを自覚しています。同時に、中国は本書に示すような経済予想モデルと政治改革モデルを実現するため、着々と改革を進めていくだけです。中国が自国の目標を達成すれば、自然に米国覇権は終焉を迎えるでしょう。今後、米国は覇権を維持するために、更にいろいろな分野での戦争を仕掛けてくるでしょう。

中国が2009年の米国のG2構想を支持しない理由は、覇権が世界の最大の悪であるという認識からきています。そもそも、G7の覇権も、時代遅れの、世界の悪です。200近い国が存在するのに、なぜG1、G2、G7、G8は、偉そうに、国際社

会と国際ルールを名乗り、自分に都合の悪い国に対して、独裁と人権などの理由で、非難したり制裁・侵略したりできるのでしょうか。G1とG7は、自分自身が世界にとっての独裁国と独裁集団であるという自覚がないのでしょうか。あるいは、CNN・BBC・Twitter（現X）・Googleなど世界レベルのメディアを支配している西側諸国は独裁を自覚しながら、自慢しているのでしょうか？　米国は中国を仲間にして、G2の名の下で、中国を米国に次ぐ独裁国にしようとしていました。しかし、覇権の獲得は中国の目的ではありません。国際的に、全ての国々は国連などの国際機関での話し合いで問題解決を追求します。世界中の国々は国力が異なるので、中国は現実的には、アセアン連合、アフリカ連合、ヨーロッパ連合などを支持し、多極世界を構築していきます。

つまり、中国は今後、経済の更なる発展によって米国の覇権を無視し、国連システムの下で多極世界を作り出します。

多極世界を目指す民主中国と、覇権を追求・維持する独裁帝国米国・独裁帝国集団G7などとの関係は、今後どうなるのでしょうか。

まずは、経済の視点から、20世紀後半、当時経済力で頂点に立っていた日本と、混乱していた米国の間の壮絶な貿易摩擦から考えてみましょう。

中国の立場から見た日米経済摩擦についての認識と教訓

20世紀後半から始まり、そして最近終わりが見え始まった「日米経済摩擦」の真実について追求したいと思います。

1945年、日本は敗戦国になり、国土は荒廃しましたが、僅か19年後の1964年、新幹線が開通し、東京スポーツ大会も開催されました。

1950年代の朝鮮戦争頃から日本経済は著しく発展しました。そして、1960年代から、さまざまな分野で日米貿易摩擦が発生するようになりました。恐らく、最初の摩擦は労働集約型の繊維産業などだったと考えられます。更に、1968年に日本が世界２位の経済大国になってから、米国は、覇権を維持するために、日本に対して全方位的で多層的な圧力をかけ始めました。具体的には、貿易以外に、政治や金融などでも多重的な手段を総合的に利用し、日本を改造しようとしました。米国がとった手段としては、①日本の経済成長率を低下させるため、米国が認定する不公正な取引慣行に対して関税の引き上げなどの制裁を認めた「米通商法301条」による調査と制裁によって、日本の特定産業を潰す措置、②金融分野をコントロールするため、1985年の「プラザ合意」などを通じた通貨や金融分野における措置、③日本の社会と政治をコントロールするため、内政干渉に近いやり方で日本の政治・経済体制の改革を促した措置などがあげられます。

この日米貿易摩擦では、当時の米国の覇権主義的な横暴・

理不尽さと共に、米国に賛同する他の西側諸国、そして、唯々諾々と言いなりになった日本自身も良くありませんでした。結果として1980年代からバブル経済が起こり、1990年代にそのバブル経済が崩壊し、以降、現在まで、日本は長い停滞期に陥りました。2019年の日本の1人当たり名目GDPは40847ドルですから、米国は警戒を続け、日米貿易摩擦が完全終焉したとはいえません。今後、日本は、過去25年間のような経済停滞が続くのでしょうか？　それとも、今後、日本は停滞することもできず、経済衰退期に入り、米国も完全に対日警戒を緩め、日米経済摩擦は終わりを迎え、真の日米友好が実現するのでしょうか？

1995年の日本の1人当たり名目GDPは43441ドルに達しましたが、24年後の2019年は40847ドルで、インフレ率を無視しても、ほぼ変化がありません。これらの数字から、概ね2つの結論を導くことができます。1つは日本の努力で経済の豊かさが長年、維持されているということです。そしてもう1つは、日本の失策で日本経済は長年停滞しているということです。どちらもある程度正しい結論だといえますが、両方の結論を同時に持つことが、一番真実に近い考え方かもしれません。この過去25年間の日本経済の停滞は内在的な要因があるものの、米国による日本への圧力と制裁を無視できない外在的な要因もあるでしょう。つまり、日本は外因である米国の経済・政治圧力に屈し、対抗できず、自ら国内の失策を誘発して、そして外因を更に増強させ、結果的に「今

まで」外因に対しても内因に対しても対処できず、現在にまで至る経済停滞期に落ち込んだのです。

この経済停滞の内因と外因を深く理解するため、日米経済摩擦について、更に具体的に説明します。

1980年代、ハイテク分野では、日米の経済摩擦が日に日に激しくなっていました。米国はあらゆる方法で日本をたたきました。米国の技術を盗んだという知的所有権の侵害、円安に誘導する不当な為替操作政策、ソ連に先端軍事技術を流したなどの理由で日本を批判し、制裁しました。1986年に、米国は、日本の更なるハイテク産業の発展を阻止するため、この一連の世論操作と制裁と共に、自由貿易を促進する口実で、日本製半導体のダンピング（不当廉売）輸出防止と外国製半導体の日本でのシェア拡大を骨子とする「日米半導体協定」を締結しました。その際、付属文書で「日本政府は外国製半導体の日本市場におけるシェアが20％を超えることを期待し、その実現を歓迎する」という数値目標まで盛り込まれました。明らかに、これは米国お得意の「自由」の名を借りた、自由貿易原則に違反する措置です。結果的に、日本の半導体メーカーの競争力がどんどん衰退していきました。更に、米国は日本の半導体産業を徹底的にたたくため、戦略的に韓国の半導体産業を育成しました。サムスン電子、SKハイニックスなどは、これを機に強くなりました。貿易摩擦が激化した時期に日本が受け入れた半導体輸入目標が1990年代以降の日本の半導体産業の低迷をもたらし、バ

ブル経済崩壊とその後の「失われた30年」と呼ばれる景気の長期低迷の象徴にもなりました。もっとも影響が大きいのは、それから、今日に至るまで、世界経済２位の日本が最先端の技術・産業で、米国と対抗する意志を失ってしまったことです。航空機産業では、ボーイングの下請けになることを自慢しているかのように見えます。半導体産業では、下請けに相当する材料・設備分野に集中しています。IT産業では、Microsoft・インテル連盟に対抗しませんでした。結果として、2023年まで、Yahoo!・Microsoft・インテル・IBM・Facebook・Twitter（現X）・YouTube・Google・Amazon・Apple・Uberなどに対して、日本は無意識のまま、米国にデジタル主権を渡し、戦う意志すらありませんでした。Uberの普及、若者のYouTuber志向、河野太郎の200万人のTwitter（現X）フォロワー数、日本の携帯電話市場を席巻するApple、検索市場を支配するGoogle、パソコンや携帯電話のOS市場をほぼ独占するWindow・iOS・Androidに至るまで、米国は完全勝利しました。米国の下請けになっている世界２位の日本は、一生懸命に下請け技術を磨き、米国の最強の下請け国家になり、豊かさを表す経済指標である１人当たり名目GDPを1990年代の4万ドル台から、2021年まで何とか保持しています。あるいは、Yahoo!・Microsoft・YouTube・Googleなどに対して、市場主義における自由競争意識すら持っていないのかもしれません。20世紀のYahoo!・IBM・Microsoft・インテ

ルなどと対抗できる企業が日本にはありませんでした。21世紀になり、米国でYahoo!・IBM・Microsoft・インテルなどが停滞し、YouTube・Facebook・Twitter（現X）・Google・Amazon・Apple・Uberなどは巨大化し始めています。そして、2023年の現在、米国市場では、そろそろこれらの巨大企業の大半も衰退し始め、またより先進的な新しい巨大企業が出てくるでしょう。同時に、2022年の日本では、Yahoo! JAPANが素晴らしい日本企業として、日本国内市場で今後も健闘し続けていきそうです。

米国は対日産業政策以外に、金融政策も発動しました。20世紀後半に日本のバブル経済が膨張した要因の１つは、日米協力で実質的に円高を容認したプラザ合意とその後の金融緩和にあります。つまり、米国と日本の共同政策によって、20世紀後半、日本のバブル経済は意図的に作られ、その後、意図的にはじけました。更に、現在に至るまで、金融面でも、完全に米国の言いなりになっています。勿論、今の約1ドル100円台のドル円為替水準は妥当であると考えられます。つまり、20世紀後半の1ドル300円台、200円台のドル円為替相場は日本経済の急速な発展と共に、必ず今の100円台の円高方向に動きます。両国の通貨は、長い目で見ると、必ず経済成長率で相対的に高い国の通貨の価値が高くなるでしょう。20世紀後半の日本政府が取るべきだった金融政策は、将来の円高を予想し、世界で唯一覇権通貨であるドルの価値を自由自在にコントロールできる米国という現実を認識した

上で、最大限の国力を使い、できる限り円高へとコントロールすることでした。つまり、20世紀後半のドル円相場の本当の問題は、円高になることではなく、米国の金融覇権と日米協力により日本政府がコントロールできなかった急な円高政策とそれに由来するバブル経済がはじけたことです。そして、1990年代から日米の実質GDP成長率は逆転し、今日まで約30年間が経ちました。日米の実質GDP成長率が再逆転されないなら、今度はドル高円安方向に動くでしょう。日米の実質GDP成長率は今のままでそれぞれ1%と2%（つまり本書第一部の経済予想モデルのケース）で長く続けば、再び1ドル200円台、300円台に逆戻りするでしょう。その時のドル換算の日本の名目GDPと１人当たり名目GDPは米国にもっと差をつけられるでしょう。

このような米国の戦略的な対日産業政策と金融政策による結果が、表1-4と1-5に表れています。1995年、日米の名目GDPはそれぞれ54491億ドルと76398億ドルになり、日本の名目GDPは米国の約71.3%に近づいていました。そして、1995年頃の日米の１人当たり名目GDPはそれぞれ43441ドルと28671ドルになり、日本の１人当たり名目GDPは米国の約1.5倍でした。その時の日本の為替水準・経済のバブル水準などを考慮しても、当時の日本経済の勢いは凄かったです。しかし、それから、日米貿易摩擦の効果が表れ、米国はどんどん強くなり、日本は相対的に衰退していきます。2019年、日米の名目GDPはそれぞれ51545億ドルと213447億

ドルになり、日本の名目GDPは米国の約24.1%まで落ちました。更に、2019年の日米の１人当たり名目GDPはそれぞれ40847ドルと64767ドルになり、日本の１人当たり名目GDPは米国の約63.1%になってしまいました。日本の１人当たり名目GDPが1995年の43441ドルから、2019年の40847ドルになったことは、一見、日本経済の豊かさと先進性が何とか維持できたとも考えられますが、同時期の米国の数値である28671ドルと64767ドルと比べたら、日本経済の停滞と衰退の厳しさが理解できるでしょう。

更に深刻なのは、現在の日本が、米国に洗脳され、独裁化されていることです。この日本経済の現状を正しく認識できないことこそ、日本社会の最大の危機です。日本は、私が思うに、もう事実が見えていません。例えば、YouTube・Twitter（現X）・Facebookなどが日本に上陸する時、日本政界・経済界・国民が一丸となって、知恵を絞って、対処する方法を慎重に探るべきだったのではないでしょうか。このような対策で、経済の自由度と活性化に悪影響を与えるべきではないですが、最初から間違いを恐れる必要もありません。なぜなら、YouTube・Twitter（現X）・Facebookなどは新経済なので、対策が難しく、正しい対策は最初から誰にもわからないからです。試行錯誤しながら最終的に最善の対策を導きます。この試行錯誤の過程で、日本のデジタルデータの主権の重要性と日本のデジタル経済発展の遅れと緊迫性などが感じ取れるでしょう。これで、初めて、米国並み

か米国以上のデジタル産業の発展の可能性が出てきます。残念ながら、日本の政界も経済界も国民も、デジタル産業発展のための反抗と努力が足りませんし、客観的な問題意識すら持っていません。軽々に最初から米国のデジタル覇権に手をあげ、日本のデジタルデータの主権を放棄しました。今後、YouTube・Twitter（現X）・Facebookなどが衰退し、新陳代謝に成功した米国の新しいデジタル巨大企業が再び日本に上陸するとき、日本は再び無意識に対策することなく経済主権を放棄するでしょう。つまり、日本経済停滞の原因である20世紀後半の日米経済摩擦（またはこれを日米経済協力と呼ぶかどうかはあなた次第です）に対して、国家としていまだ自国の対策を反省せず、米国の覇権にも反抗しません。このような日本では、今後の１人当たり名目GDPは全く伸びないでしょう。予想できる最善のシナリオは米国覇権の下請けのまま、何とか今の豊かさを保持することです。もし、米国自身が覇権を維持できなければ、下請け国である日本はもっと衰退するでしょう。ですから、今の日本は、米国並みか米国以上に、米国の覇権を何とか維持しようと日本国の命運を懸けて努力しています。

以上の分析により、日米協力という形の日米経済摩擦を通じて、米国の覇権国としての力強さが想像以上にあるとわかりました。中国は今、米中経済戦争の真っ最中です。過去の日米経済摩擦の教訓を生かし、中国は米中協力という妄想を排除し、毅然として米国と全力で戦うしか方法がありません。

中国は米中関係の最悪のシナリオである米中軍事戦争を予想し、いかなる状況にも対応できるように準備していくべきでしょう。2021年までの関税とハイテク産業への制裁を中心とする米中貿易戦争。そして、自由・民主・人権を中心とする米中価値観戦争。台湾・香港・チベット・新疆・南シナ海・東シナ海・朝鮮半島などを中心とする米中世論戦争。近い将来のゼロ貿易・ゼロ交流という経済の断絶。更に、国交断絶。最終的に全国力を投入する完全軍事戦争。覇権を放棄しない独裁国である米国が変化しない限り、これらが起こる可能性は十分あります。中国はこれらに直面する覚悟が必要です。

日本について、更にいわせてもらうと、2018年に米中経済摩擦が顕在化して以来、日本は米国に同調し、中国を制裁してきました。異なる年代に同じ覇権国に対して経済戦争を仕掛けた被害者として、残念だとしか思えません。日本は1970年代から今日までの日米貿易摩擦の歴史を忘れてしまったのでしょうか。それとも本当に認識できないのでしょうか。中国は米国と戦うため、日本を含むあらゆる国の協力が欲しいと思っていますが、それがなくても徹底的に対抗します。更に、日本・イギリスをはじめ、全ての西側諸国が米国側に立っても、中国は全力で徹底的に戦います。20世紀後半からの日米貿易摩擦の影響を今も受けている日本にとって、日米経済摩擦の影響から完全に抜け出す最後のチャンスは米中経済戦争かもしれません。日本は日米経済摩擦と米中経済戦争の本質を掴み、対米対中政策を事実に基づき再構築し、

30年近く経済が停滞しているという状況から脱け出すため努力すべきでしょう。日米経済摩擦のせいで、YouTube・Twitter（現X）・Facebook・Googleなどが日本市場を席巻し、日本は完全に米国の技術植民地になってしまっています。最先端の技術では、日本は米国の技術に対して挑戦できないだけでなく、挑戦しようともしません。なるべく米国の下請けになりたいのです。下請けの技術の強さを自慢しています。日本の技術がなければ、米国は飛行機も作れないなどと自慢しています。日本が最先端の米国技術に挑戦しないため、米国は戦略的に余っている利益を日本に与えることで、日本の豊かさは今まで何とか維持されています。日本はこれを自覚し、改革しない限り、将来的に米国すら少しずつ衰退していくなら、米国からもらう利益が減少する日本は１人当たり名目GDPが3万ドル・2万ドルに落ちていくでしょう。「失われた20年」「失われた30年」だけではなく、今後は「衰退していく10年・20年」になるでしょう。

　最後に、日本の約25年間の経済停滞の主な原因は日米経済摩擦だという本書の考え方とは異なったさまざまな考え方が日本にはあります。１つは、少子高齢化社会になったので経済停滞はやむをえないという考え方でしょう。しかし、生産力を高めれば、１人当たり名目GDPは停滞しないはずです。同じ理由から、急激な高齢化がない限り、生産力を高めれば、１人当たり名目GDPも伸びます。つまり、日本社会が少子高齢化になっても、人口が減っても、経済規模はある程度は

減少しますが、生産力を高めれば、1人当たり名目GDPが伸びる可能性は十分にあります。では、どうやって生産力を高めれば良いのでしょうか？　それには、世界トップ水準の技術力を持っていなければダメでしょう。特に、情報社会になりつつある今の世界では、GAFAのようなトップ企業群を育てなければなりません。そうしないと、少子高齢化問題が解決しても、日本人は永遠に、生産力が低い産業に従事し、1人当たり名目GDPは永遠に増大しないでしょう。もう1つの考え方は、製造分野に強い日本人は頭が固く、情報社会に必要なソフトウェア分野には適していないという一種の人種説・民族説です。30～40年前の中国人は素質が低いと決めつけられました。その中の1人である私も、当時祖国と自身の素質の低さに悩まされました。しかし、中国経済の発展と共に、私の世界観も変わりました。素質というのは、民族性とは関係ありません。先進国にも素質が悪い人は多数存在しています。私たち中国人の素質の低さの原因は1000ドル以下の1人当たり名目GDPで構成する未成熟な社会と10億人以上の人口で構成する超競争社会で当時中国人が生き残るためでした。現在、1人当たり名目GDPが1万ドルを超えた中国の国民は、経済の発展と共に素質も高め、世界中のどの国に対しても平等な視点を持つことができます。中国人だけが素質が悪いのではなく、当時の経済の貧しさや厳しさが中国人に影響しています。同じように、日本人特有の民族性によって、日本の情報社会が発展しないということはあり得

ません。世界中を見ても、米国、インド、中国など少数の国だけでIT技術が発達しています。これらの国は経済レベルも人種も民族も伝統文化も全て異なり、同じなのは高度な国家の自主性と自立性を持っていることです。つまり、日本は民族説に甘んじるのではなく、かつての民族危機感を覚え、民族の自主性・自立性を取り戻し、世界の真実を客観的に認識し、社会を改革していくことで初めて、いろいろな分野に挑戦でき、日本のデジタル技術が持続的に急速に発展していく可能性が出てきます。今後、自動車産業を含むほぼ全ての産業がデジタル化するので、日本のIT産業が今のまま進化しないと、自動車産業を含む全製造業に悪影響を及ぼし、日本の全ての産業が今以上に激しく衰退していくでしょう。その他にも、大企業はお金が余っても、先端技術や先端産業に投資しないという考え方もあります。世界のトップ企業になっても、米国から制裁を受けたら、破産するリスクが高い現状では、誰も米国が警戒する先端技術に投資しないでしょう。記憶に新しいのは、近年中国のファーウェイ・WeChat・Tik Tokなどがあげられます。中国政府と中国国民は一丸となって、懸命に米国覇権に抵抗します。結果的に、ファーウェイなどは、莫大な損失を受けましたが、何とか今も耐え続け、生き延びています。将来いつか、中国国民と中国政府と一緒に、激しく反撃するでしょう。例えば、これらの企業が日本企業だったとしたら、日本国民と日本政府は抵抗するでしょうか。答えがNOなのであれば、日本の大企業と資本

はリスクを回避し、先端技術に投資しないでしょう。どんな理由があるにせよ、結局、日本経済が停滞する原因は、最終的に、必ず日米経済摩擦に帰結します。日米の激しい経済摩擦を経て、日本は米国の考えを忖度しながら、最先端技術に挑戦する意欲をなくしました。今も裏で静かに続いている日米経済摩擦の影響で、今後の日本経済は停滞することでは済まなく、本当に衰退していくでしょう。

中国は、米中経済戦争について、日本からの同情と協力を希望しますが、求めはしません。日米同盟を破壊するつもりもありません。それらの必要は全くありません。客観的事実に基づく健全な日中・米中関係だけを望みます。今後、米国が覇権を放棄しない限り、中国は、経済・文化・価値観・軍事などの全ての分野で、自力で米国を抑えて、多極民主世界を作り出します。

本書の第一部では、2019年の日米の１人当たり名目GDPがそれぞれ40847ドルと64767ドルで、日本の１人当たり名目GDPは米国の63.0％にすぎないのに、本書の経済予想モデルでは2020年からの日米の平均成長率がそれぞれ1％と2％だと仮定しました。この点について、読者たちは疑問を持つべきだとも書きました。この疑問に対する答えをここで明確に提示します。それは、20世紀後半からの日米経済摩擦に対する日米両国の対応と認識です。1980年代から、日本は半導体産業をはじめとするハイテク産業を何としても持続的に発展させなければいけませんでした。世界２位

の経済強国日本は大型旅客機の製造でも、米国のボーイングや欧州のエアバスと対抗できるような航空機産業を発展させないといけません。勿論、リスクを軽減するため、世界２位の経済強国日本は、先頭に立って、韓国・台湾・シンガポール・香港・タイ・インドネシア・中国などのアジア各地域と航空機共同体会社を作るというのも良い選択肢でしょう。当時の日本は、アジア各地域にとって強すぎたので、日本が中心とする政策を策定できたはずでしょう。1990年代からIT産業のMicrosoft-インテル連盟に対しても、日本は世界２位の経済強国としての責任を取り、Microsoft-インテル連盟に対抗できるようなIT産業を育成すべきだったでしょう。21世紀の今も、Twitter（現X）・Facebook・YouTube・Google等のIT企業に対して、日本は対抗策を取らなければいけません。残念ながら、1990年代から、日本は半導体産業で国として米国に敗れ、世界最先端の技術に挑戦できなくなりました。そして、ほぼ全ての産業の最先端技術に挑戦できなくなりました。なぜなら、最先端技術に挑戦するには、失敗を恐れず、莫大な市場リスクを負う環境が必要だからです。そして、日米貿易摩擦を経験した日本の産業界は、もし莫大な資源を使い、最先端技術を市場で成功させても、1990年代の半導体産業のように、米国と日本の両政府の共同政策により、最終的に負けると予測しています。こうなると、日本の最先端産業は米国の下請けになるしかありません。ボーイング社に設備と部品を提供します。Twitter

(現X)・Facebook・YouTube・Googleなどの最先端IT企業に対して、日本は完全にデジタル主権を放棄してしまいました。今の最先端IT企業の核心的な競争力は、デジタルデータの保有能力・分析技術・使用能力と安全性の確保などに依存しています。このように、最先端技術で挑戦すらできない日本と、最先端技術でどんどん前に進化する米国がいるからこそ、2019年の日本の１人当たり名目GDPは米国の63.0％にすぎないのに、逆に2020年からの日米の平均成長率がそれぞれ1％と2％だと仮定できるのです。1％は2％より1％少ないだけではなく、同時に1％は2％の半分でしかないことも意味しています。日本は20世紀後半の日米経済摩擦で失敗しただけではなく、同時にその後ずっと反省できていないので、その失敗の影響が今まで続き、更に反省できるまで永遠に続くと思われます。Twitter（現X）を使う人気大臣、YouTubeを使う各自治体、InstagramとTik Tokを使う若者、Amazonを利用する消費者、GoogleとAppleを利用するほぼ全ての日本人は、今の日本の平均経済成長率を1％にするため、多大な貢献をしています。

日本は、平均1％の経済成長率から脱出するため、まず、世界２位の「経済強国」であることを自覚し、全ての最先端産業で全ての国と自由かつ平等に競争できるような環境を作らなければいけないでしょう。更に、そうならない理由を作ってはいけません。周りに敵対国家である北朝鮮・中国・ロシアがあり、第二次世界大戦で敗戦してしまい、自力で貿易ルー

トの安全を保証できず、日本国内に131カ所の米軍基地が存在することなどは、全て理由にはなりません。

中国も同じく、2020年から2050年までの31年間で年平均4.5%の経済成長率（表1-4）を実現するため、世界2位の「経済大国」として、全ての産業で全ての国と自由かつ平等に競争できるような環境を今後持たないといけません。

米中経済戦争

前節で、20世紀後半から今までの日米経済摩擦について、中国の立場を説明しました。本節は、日米経済摩擦の教訓から、米中経済戦争の発生原因や米中それぞれの目的、中国の対処戦略などについて説明したいと思います。

(一) 米中経済戦争の発生原因

2020年、コロナ危機が世界を席巻しました。2021年、米国にバイデン新大統領が誕生しました。今後、米中経済戦争はどうなるでしょうか。

この問題を答えるため、理解しておくべきなのは、なぜ米中経済戦争の発生が不可避なのかということです。弱い立場の中国は、米中経済戦争の原因を徹底的に理解しないと、対応策を間違える恐れが大きくなり、結果的に米国に負けてしまう可能性が大きくなります。

米中経済戦争の発生の本当の理由は何でしょうか。中国の

台湾・香港・新疆・チベット・人権・サイバー攻撃・貿易慣行などは本当の理由でしょうか。もし、そうなら、中国は米中経済戦争を避けるため、これらを改善すれば良いのでしょうか。それとも、これらを改善しても、米中経済戦争は必ず発生するのでしょうか？　米中経済戦争の次は、米中軍事戦争になります。軍事戦争が起きたら、必ず死者が出ます。米国人は他国ごとである中国の台湾・香港・新疆・チベット・人権などのため、米国から死者を出しても中国と戦争したいのでしょうか。少しでも思考力があれば、疑いを持つはずです。

真相を探るため、まずは、上述の日米経済摩擦の原因から分析します。日米両国間に、台湾・香港・新疆・チベット・人権・サイバー攻撃などの問題はありませんでした。それでも、激しい日米経済摩擦が起こりました。そして、近年、日米経済摩擦は残りながらも、日米両国は緊張関係がだいぶ緩和され、今後より平等な相互軍事同盟になろうとしています。

なぜでしょうか？

日米の１人当たり名目GDPの変化を見てみましょう。1987年、日米の１人当たり名目GDPはそれぞれ、20756ドルと20001ドルで、日本は戦後初めて米国を超えました。1995年、日米はそれぞれ、43441ドルと28671ドルで、日本の１人当たり名目GDPは米国の1.5倍になりました。2000年にも、日米はそれぞれ、38536ドルと36318ドルで、ほぼ同水準でした。単純に１人当たり名目GDPの指標だけで考えると、1987～2000年までの14年間、日本経済の強さ・

先進性は米国と同等か超えていました。これが、20世紀後半に日米貿易摩擦が激しくなった本当の原因だと考えられます。2001年から、日米の1人当たり名目GDPは再び反転し、そして、その差はどんどん広がっていきました。2019年の日米の1人当たり名目GDPはそれぞれ、40847ドルと64767ドルで、日本は米国の63.1%までになってしまいました。同時に、日米経済摩擦も減少しました。米国にとって、日本はもう米国覇権の脅威ではなくなってきました。経済規模を含めて考えるとより明確です。1995年、日米の名目GDPはそれぞれ54491億ドルと76398億ドルで、日本の名目GDPは米国の約71.3%と米国に近づいています。米国が反撃を誤れば、いつか、経済規模でも、日本は米国を超え、真の世界一になったでしょう。米国はどうしても、覇権国の特権を守りたいため、経済規模で日本に抜かれないため、日本を潰し、日米経済摩擦を仕掛けてきました。この始まりは、1960年代か1970年代でした。米国は戦略的に、1990年の未来を予測して、早めに行動し、その行動の激しさも日本経済の高度発展と共に、増していきました。戦略が明確になれば、戦術はもう簡単です。なぜなら、米国は仕掛けてきたとき、覇権をちゃんと持っているからです。米国が覇権を持っているから、日本は米国の言いなりになりやすいのです。「日本の貿易慣行が悪い、むしろ共産主義国だ、米国の技術を盗んでいる、不正にソ連に技術を輸出した、不正に為替をコントロールする」など、米国は独裁的な世界世論を操作し、あらゆる

分野で日本を批判し、制裁し、日本をコントロールしているように思います。理論上、経済摩擦が発生すると、必ず両方共、損をしますが、米国の正しい戦術・戦略と日本の戦術・戦略の低レベルのため、結果的に、米国は大成功しました。

日本の教訓を見れば、米中経済戦争が不可避であることとその激しさがわかるでしょう。米国はかつての日米経済摩擦のやり方を、微調整し、更に進化させ、米中経済戦争として仕掛けてきます。

2019年の米中両国の名目GDPはそれぞれ213447億ドルと142165億ドルで、中国は米国の66.6％に達しています。そして、米中の経済成長率はそれぞれ、およそ2％と6％です。中国に対して、米国は何もせずにこのままいくと、表1-4に示すように、2032年、米中両国の名目GDPはそれぞれ276116億ドルと281634億ドルで、中国は米国を抜き、経済規模で世界一になります。本書の経済予想モデルにより、2032年の米中の経済成長率は、それぞれ2％と4.8％です。つまり、その後も米中の経済規模の差は広がっていき、米国の覇権も終焉に向かっていきます。そして、米中の2050年の名目GDPはそれぞれ39.44兆ドル、55.58兆ドルになり、米国の名目GDPは中国の71％になります。米国は米中経済規模での2032年の逆転と2050年の差の拡大を予想し、これを避けるため、米中経済戦争を必ず仕掛けてきますし、対中制裁も日に日に激しくなるでしょう。

結論としては、中国が経済の持続的な発展によって米国の

脅威になれば、米国は覇権を維持するため、米中経済戦争を必ず仕掛けて来ます。中国が応戦しても応戦しなくても、これは発生します。

(二)米中経済戦争の始まり

2018年から、米中経済摩擦が「世論上で」表面化しました。既に発生した米中経済摩擦を紹介します。

2013年の中国「一帯一路経済圏」構想の始まりを予測して、その5年前の2008年2月4日、米国は「2020年」から始まる４カ国価値観集団の参加国である日本とオーストラリアに呼びかけ、TPP（環太平洋パートナーシップ）交渉に一緒に参加すると表明しました。このことが象徴するように、中国国民は長年のグローバル覇権国としての米国の世界戦略の先進性と素晴らしさを理解しなければなりませんし、TPP以外でも、中国が予想もできないような中国を潰すための米国の世界戦略が既に多く用意されていることを理解しなければなりません。ちょうど8年後の2016年2月4日に日米を中心とする12カ国は、TPP協定に署名しました。TPP経済圏の成立は、中国にとって明らかに大きな脅威です。特に、2年後の2018年から顕在化した米中経済戦争の主要影響因子になりうるでしょう。勿論、中国は貴重な外交エネルギーを使って、何とか対策を取るでしょう。例えば、中国はTPPへの加盟を申請します。あるいは、日米を含む12カ国の全ての国に対して日中、米中のような両国間経済圏を推進して、

TPPに対抗するか、利用します。しかし、結果がどうなるのかわかりませんが、中国にとって、平穏な道ではないと予測できます。一方、中国は、TPP経済圏の成立を妨害できませんし、妨害すべきでもありません。妨害などしようものなら、逆に、中国はもっと大きな損失を被るかもしれません。TPPに参加するのは、参加国の主権なので、中国が妨害すれば、これらの国々との関係が悪化するでしょう。恐らく、中国は2017年までに、真剣にTPP経済圏への対応策を積極的に検討したと考えられます。しかし、ここから、信じられないことが起こりました。顕在化しつつあった米中経済戦争の前、2017年1月に、トランプ元大統領の下、米国は、膨大な外交エネルギーを使って勝ち取ったTPP協定から、軽々と離脱しました。中国はいまだに米国のTPP離脱を理解できません。米国国内の産業と就業を保護すること、トランプが大統領になったこと、米国の民主党と共和党の激しい競争などは理由になりません。米国はなぜ自ら、絶好の対中経済カードであるTPP経済圏を放棄したのでしょうか？　どう考えても、米国のTPP離脱のデメリットはメリットより大きいです。恐らく本当の理由は、長年の独裁メディアによる偽の中国報道の影響で、米国が自身の国力を過大評価し、中国の国力を軽視し、同盟国からの協力がなくても、米国の力だけで中国を十分に潰すことができると考えたのでしょうか。もう1つの考え方としては、日米貿易摩擦の時より今の米国の政治システムの能力と素質が著しく低下してしまったので

はないかと思われます。いずれにしても、中国は、今後激しさがどんどん増していく米中経済戦争について、弱者である中国と強者である米国の国力を客観的に認識し、米国の強さを軽視してはいけません。TPP離脱と同時に、2017年から2020年までのトランプ元大統領の4年の任期中、米中経済戦争は益々顕在化し、米中経済は分離の方向へ動いています。

一方、この時期の米中貿易額が増え続けています。つまり、米中経済関係は表面上悪化するだけではなく、実際には分離すると強化する矛盾な現象が興味深く同時に起こりました。米中関係はいかに複雑なのかと想像できるでしょう。

2018年以降、相互に追加関税をかけ始めたことにより、米中経済戦争は一層顕在化し始めました。そして、2018年春に起きた「ZTEショック」と2019年からの「ファーウェイ事件」「Tik Tok事件」により、米中両国はハイテク分野で競合し、双方とも引くに引けない状況に発展しました。2019年から、米国は、イギリス・日本・オーストラリアなどの同盟国の協力を得ながら、中国を国際産業サプライチェーンから追い出そうとしています。一方、中国は2013年から準備していた「一帯一路経済圏」構想で懸命に抵抗しています。

(三)米中経済戦争に対しての中国の戦術

前述では、米中経済戦争の発生原因と現状を明らかにしました。今後の米中経済戦争は更に激化するでしょう。米中経済戦争が激しくなることと、誰が米国の大統領になるかは無

関係です。では、中国はどう応戦すべきでしょうか。表1-4と1-5に示すように、米中の2019年の１人当たり名目GDPはそれぞれ64767ドルと10153ドルで、名目GDPはそれぞれ21.34兆ドルと14.22兆ドルです。米中経済の強さの差も、規模の差も、広すぎです。中国は弱い立場ですから、一歩も間違わない対米戦術が求められています。

ここでいくつかの対米戦術を仮定します。

戦術その１。中国は一切、応戦しない政策を取ります。米国を超えようとした「非」を認め、米国のいう通り、改善します。

しかし、2019年に米国の名目GDPの66.6％に達し、世界２位となった中国の経済規模は避けられない「原罪」になっています。応戦しないだけでは、問題解決になっていません。米国を安心させるため、まず、中国の名目GDPが今後成長しないことを保証する必要があります。1990年代からの日本のように「失われた20年・30年・40年……」が必要です。

次に、中国の名目GDPが停滞するだけではなく、減少していくことも必要かもしれません。

現実的に、中国の名目GDPをどうやったら減少させることができるでしょうか。

１つの方法は、14億人という人口のせいにします。単純に、人口が減れば、名目GDPも減少します。例えば、人口を減らすため、今後の出産を完全に禁止したらどうでしょうか。そうすれば自然に人口を減らすことができます。しかし、

このようなペースでの人口減少・GDPの低下に今の米国は満足するでしょうか。もっと速いペースでGDPを下げろと米国から命令されたら、どうしたら良いでしょうか。ほとんどの病院を閉鎖したらどうでしょうか。そうすると、老人だけではなく、あらゆる世代の中国人が病気で早く死んでいく可能性があり、これで米国の普遍価値観に近づき、罪深い中国のGDPをもっと早いスピードで下げることができるでしょう。もっと柔軟に考えれば、高校生時代の私は、日本の研究者から中国を８つに分裂した方が良いと聞いたことがあります。そうすると、米国の名目GDPの66.6％に相当する2019年の中国の名目GDPを単純に8で割って、米国の約8％になります。これで、米国は納得するでしょう。

この戦術は、中国が名目GDPを減少させるためのあらゆる方法を見つけることによって、米国を納得させ、米中経済戦争の終焉を可能にします。

残念なのは、この戦術がただの米国の夢話、中国の笑い話だということです。

戦術その２。中国は一歩も引かず全面的に激しく応戦します。米国が関税を掛けてきたら、直ちにやり返します。輸出では中国の方は多いので、課税で対等に報復できないときは、中国に投資する米国資本を中国から追い出します。これによって、米国との経済関係を断絶します。中国は120以上の国と地域の最大の貿易相手国ですから、米国抜きでやっていけるでしょう。勿論、日本・オーストラリア・イギリス・

カナダの４カ国は米国の同盟国ですから、この４カ国との経済断絶も予想した経済運営をしなければいけません。また、2020年7月に米国がヒューストン在米中国領事館を閉鎖したことに対して、中国は直ちにそれ以上の反撃措置として、中国にある全ての米国大使館と領事館を退去させます。ファーウェイの副会長が拘束されると、Apple・Google・ボーイング・テスラなどあらゆる米国のハイテク産業の役員を逮捕します。今後、米国人を逮捕するきちんとした理由と法律の整備も急務です。また、米国が人権を保護するという理由で北京2022スポーツ大会を外交的ボイコットしたとき、中国は直ちに米国人の人権を保護するため、米国選手団の北京大会の参加を禁止します。あるいは、中国の許可なく米国の政治家や軍人の台湾入りに対して、中国軍隊は彼らをテロリストと侵略者として、攻撃します。あるいは、南シナ海などで中国領海を侵犯する米国海軍を攻撃します。

米国は世界一の先進国ですから、中国がこんなに激しく反撃すれば、仮に米中核戦争にまで発展しなくても、中国経済は急速に悪化するでしょう。しかし、中国は自由や人権、発展、独立性などを保持するために、これらのリスクを負っても、徹底的に抗戦すべきでしょう。苦しいのは中国だけではなく、最大の製品製造国である中国との経済断絶によって、米国も大きなダメージを受けるはずです。そうなると、全面抗戦するときに考えるべきことは、どうやって中国の損失を小さくし、米国の利益を最大限に損なうかということです。最終的

に、ドル中心の国際金融システムを破壊し、世界中に展開する米国の軍隊と対抗します。場合によっては、同盟しないという国策を撤回し、ロシア・イラン・北朝鮮などの国と同盟して、米国を打倒します。金融面では、覚悟をもって、脱ドル化を進めます。軍事面では、あらゆるリスクへの対処を準備します。テロ支援国家である米国からの戦争を警戒し、戦争が起こったら、中国は米国本土を徹底的に潰す力を準備しなければいけません。そして、中国の周りに米国の核兵器が配備されたら、中国は北朝鮮・キューバなどの国を保護するため、多数のミサイルと核弾頭を配備すべきでしょう。

戦術その２の中国の激しい反撃によって、米中両国が経済摩擦、経済分離、国交断絶、完全戦争という方向にどんどん進むでしょう。

残念なのは、2032年まで、この戦術がただの臆病者の妄想話にすぎないということです。

戦術その３。上述の極端な対応を避け、戦術その１と戦術その２の間で、中国の発展にとって一番良い対抗方法を慎重に探します。

戦術その１を採用すれば、中国は中国価値観と中国の自主性・自立性を失い、米国価値観に抑え込まれ、米国の植民地になります。経済分野では、中国は米国の圧力に屈し、ハイテク分野の発展ができません。今後、中国からはファーウェイ・Tik Tok・アリババ・テンセントのようなハイテク企業が出てこなくなります。米国は金融・世論・SNS・IT・

AI・半導体・旅客機・次世代自動車などのあらゆる最先端分野の技術で中国を抑えます。中国には最先端の技術分野でのビジネスチャンスの芽がなくなります。最先端の技術分野で米国に挑戦しても、すぐに安全・自由・民主・人権などの理由で潰されてしまいます。いいえ、潰されるより、利益を追求する中国資本は不動産・娯楽などの安全な分野に集中し、米国が警戒するハイテク産業分野にはそもそも挑戦しないでしょう。1990年代以降の日本を見ても、これは明白です。最先端のAI・IT・半導体産業で、日本は米国との摩擦を恐れて、裏（下請け）にある材料・設備に専念しています。結果、Yahoo!・Twitter（現X）・Facebook・YouTubeなどが日本を席巻しました。中国は今のような日本にならないように、全力で戦うしか、他の方法がありません。全力で戦わないと、中国は絶対にこれ以上の発展ができません。中国企業が少しでも米国の脅威になれば、米国に叩かれ、潰されてしまいます。ハイテク産業が発展できないと、日本のように、名目GDPも1人当たり名目GDPも伸びません。しかし、停滞期になる前の日本の1人当たり名目GDPは既に4万ドルを超え、「失われた20年・30年」といっても、日本は1人当たり名目GDPで4万ドル台の経済の豊かさを保持しています。中国が今後、「失われる20年・30年」になると、今の1万ドル台の1人当たり名目GDPの「悲惨な」生活水準のままです。幸い、中国は2020年の時点で、国民と政府の共同認識として、この戦術を排除しました。

戦術その1より、戦術その2を取りたい中国人は大勢いると思われます。米国は世界一の覇権国ですから、今の中国は経済・文化・軍事・価値観の全ての面で、劣勢に立たされています。米国の制裁に対して、中国が一方的に対等な措置を要求し、徹底的に抗戦したら、恐らく、米国は益々早いスピードでより激しい制裁をどんどん掛けてきて、米中経済の完全断絶と軍事戦争が現実のものとなるでしょう。そうなると、中国は経済成長できないし、政治も今より更に独裁的になり、多くの中国人も戦争で亡くなるでしょう。米国も大きなダメージを受け、覇権を失うでしょうが、米国と中国の被害は比べものになりません。中国の損失は多大で、確実なものです。中国にとって、これは一番悪い結果で、望んでいません。

米国が経済・軍事・文化・価値観などあらゆる面で中国を潰そうとしますが、中国の経済成長率が米国より高い限り、中国は時間を稼ぐため、なるべく耐えるでしょう。しかし、これは米国の制裁に反撃しないのではなく、中国のペースで中国の実情に合った対策で対抗することを意味します。米国が対中制裁を行うことで、より大きな代償が払われるようにします。そして、中国の正しい反撃により米国の損失を自覚させ、米国の対中制裁の激しさとスピードを少しでも低下させ、中国発展のための時間を最大限に稼ぎます。

例えば、米国の中国との経済断絶戦略に対して、中国は米中経済連携を強化させ、米国の米中経済断絶コストをなるべ

く大きくします。これにより、米国は対中経済断絶のスピードを落とし、完全な米中経済断絶の最終期限を延ばします。この間、中国経済は持続的な成長を続け世界一の経済大国になり、最終的に米国の米中経済離脱政策を挫折させます。一方、米国の同盟国であるイギリス・日本・カナダ・オーストラリアの中国経済制裁と離脱に対して、強く反撃し、逆に経済離脱を加速させ、巨大中国工場と市場からこれらの国々を完全に排除し、これらの国々の経済損失をいかに拡大させます。そして、これらの国々の対中制裁と中国の反撃制裁の結果を他国に見せ、他国が対中制裁を発動できないよう警告します。最後に、たとえ中国が全ての西側先進国と経済断絶しても、持続的に経済発展ができるように準備します。これらは今後中国が取るべき戦術その３の考え方です。

(四) 米中経済戦争の展開

2018年、中国は対米輸出が4784億ドル、対米輸入が1551億ドルでした。恐らく、幼稚なトランプ元大統領はこれらの数値を見て、中国と貿易戦争をしたら楽勝だと思ったでしょう。2018年から、中国からの輸入品に高い関税を掛け、ファーウェイ・Tik Tok・ZTEなどのハイテク企業に対し制裁を掛け、米中経済戦争に突入しました。米国は世界一の経済大国ですから、中国の対応は難しいでしょう。劣勢の中国は、2022年までに、できる範囲内で反撃しました。米中の課税合戦は激しくなりました。一方、米中経済関係が早い

ペースで悪くならないように、劣勢の中国は、控えめな反撃を徹底しました。世界一の工場と市場を持ち、経済成長率が相対的に高い中国は、焦る必要が全くありません。中国の工場と市場を失う米国企業は、崩壊するリスクも大きいでしょう。例えば、米中経済戦争の最中の2019年、米国のファーウェイ制裁と排除に対して、中国は逆にテスラを上海に誘致しました。ファーウェイが、世界トップの米国市場を失うことで、発展スピードが低下したり、いつか倒産するかもしれません。ファーウェイも中国も真正面からの対等な対抗措置が存在しません。中国やファーウェイができることは、耐えて生き残り、その上で、発展することです。中国国民としては、効果がほとんどないかもしれませんが、市場主義を尊重しながら、微力ながら、一致団結して「できる限り」中国の国産を支援し、米国の商品・サービスを「できる限り」「不買」します。同時に、テスラやAppleなどの米国資本とハイテク産業を中国に積極的に誘致します。中国の優位性がある工場で、より良い性質と安い価格でテスラ電気自動車とApple製品を作ります。テスラは競争が激しい電気自動車業界で生き残るため、「中国の優位性がある工場と市場」を失うことができません。テスラは中国市場から得た莫大な利益で、激しい研究競争に再投資し、更に発展します。中国はテスラの中国投資で、税収などの利益を得て、雇用を増やし、中国労働者のスキルを磨き、電気自動車業界でのサプライチェーンと先進技術も得ることができます。米中経済戦争の最中、米

中経済分離断絶を煽る米国世論の中で、テスラが中国へ投資したことは、戦略性ある米国の大資本家と中国共産党政府の目標が一致している象徴です。一方で、確かに中国市場から撤退する西側諸国の企業もありますが、恐らく、そのほとんどの理由は、その企業にとって、「中国工場と中国市場」の優位性が失われたか、別の国に中国以上の優位性を持つ市場と工場を発見したか、あるいは単純に競争が激しい中国市場から敗退したのでしょう。中国はできる限り、市場主義を尊重し、中国の工場と市場の優位性を存分に発揮すれば、米中経済戦争の進展について心配することはありません。2019年のテスラ誘致のように、真正面から米国の企業を制裁して米国と対抗するだけではなく、市場原理を尊重する米国企業を味方にし、米国資本と一緒に米国覇権に対抗し、最終的に米国覇権を破壊します。

更に、米国は世界一の覇権国というだけではありません。いまだ同盟しない政策を堅持している中国と異なり、米国には何十もの準同盟国が存在しています。特に、中国に対して、米国と同じ態度を取っているオーストラリア・日本・カナダ・イギリスの４カ国に対しては、中国は正確な対応が必要でしょう。戦術を誤れば、西洋価値観を共有するフランスやドイツなどの国々にまで広がり、彼らも中国潰しの政策をとる可能性が十分あります。優位に立っている米国とは異なり、この４カ国は中国の経済規模と比べたら、劣勢です。ですから、米国に対して、慎重に控えめな反撃政策を取ってい

る中国は、この４カ国に対しては、経済断絶の覚悟で、攻撃と同等か、攻撃以上の反撃が必要でしょう。一方、この４カ国は中国を潰してほしいと思っていますが、中国からの利益も欲しいと思っているはずでしょう。自分だけが反中国の先頭に立ったら、中国からもらうはずだった利益を失い、米国をはじめとする他国が得をするのではと疑心暗鬼になるでしょう。つまり、この４カ国は米国と違い、先頭に立って、他国より先に中国との経済断絶の覚悟がありません。中国はこれを認識した上で、余裕を持って、この４カ国と交流しましょう。米中経済が断絶する前に、彼らが先に中国から排除されてしまうリスクを自覚させます。この４カ国以外の米国の同盟国は、中国を潰す固い意志がありません。ただの価値観の違いと誤解、世界観の低さ、米国の求めなどによって、中国と対抗しています。今後、日米英以外の西側諸国に対して、中国価値観を積極的に輸出し、価値観の違いと誤解の問題を積極的に解決しましょう。

米中経済戦争はほぼ、不可避のものであるということがわかりました。誰が米国の大統領になっても、米国は今後、益々攻勢を強めてくるでしょう。中国の戦略としては、米中経済関係が急速に悪化しないように、控えめに着々と応戦しましょう。

戦後、日本は高度経済成長をし続け、世界2位に台頭してきましたが、米国は「プラザ合意」や「日米半導体協定」などで日本の成長の芽を摘み、1990年代のバブル経済崩壊に

追いやりました。1960年代からの日米貿易戦争、特に1983～1996年の日米半導体戦争は中国の米中経済戦争の教訓になります。

中国政府はハイテク製造強国を目指す国家政策「中国製造2025」を発表し、先端半導体を含むハイテク産業の国産化を打ち出しました。

先端半導体の開発では中国は遅れていますが、インターネット大手であるバイドゥやアリババ、テンセントなどによるデジタルエコノミーへの移行により、デジタル経済で米国に追いつくことに成功しました。巨大市場を持つ中国は自主性がある法律とルールを作ったので、米国勢はデジタル経済分野では中国企業の成長を抑え込めません。更にAI（人工知能）や自動車の自動運転、顔認識による監視カメラシステムなどの分野でも中国は独自の進化を始めました。

航空機産業の分野では、中国は航空機の国産化を進めています。

自動車産業においては、中国は市場を開放しましたが、自動車に関連する技術が遅れています。しかし、今後、自動車業界は電気化・知能化へと転換します。中国もこの将来の新しい自動車産業で、何とか発展するチャンスが来るかもしれません。

一方、貿易面では、米中双方とも、広範囲の製品に関税を課す報復合戦を繰り広げています。

報復関税・知的所有権制裁・買収妨害・数量規制・中国ハ

イテク企業への中傷と制裁など、米国はあらゆる手法で中国を潰そうとしています。中国は一歩も引かず、応戦しています。2019年の米中の名目GDPは、それぞれ213447億ドルと142165億ドルで、中国の名目GDPは米国の66.6%にすぎません。更に、2019年の米中の１人当たり名目GDPは、それぞれ64767ドルと10153ドルで、中国の１人当たり名目GDPは米国の15.7%にすぎません。米中経済の差は大きいです。今の中国では米国に勝つことは難しく、益々厳しい状況が続くでしょう。一方、近年の米中のGDP成長率は約2%と6%で、中国は米国の約3倍のスピードで経済成長しています。また、近年の米中の人口は約3.3億人と14億人で、中国の人口は米国の約4倍です。人口と成長率で、中国は優位に立っています。名目GDPと１人当たり名目GDPでは、米国が優位に立っています。これらの4指標は経済戦争の結果を影響する最重要要素です。他にも、同盟国、価値観、文化、軍事など、さまざまな指標がありますが、経済戦争の結果に対する影響は最重要の４指標程ではないかと考えられます。今後、中国はこれらの4指標を注視しながら、米中経済戦争を展開していくでしょう。

(五) 米中経済戦争に対する中国の戦略

米中経済戦争に対して、前節では３つの対抗戦術を紹介し、取るべき戦術が戦術その３しかないと結論づけました。

しかし、戦術その３の中にも、さまざまな具体的対処方法

があります。米国に対しても、米国とほぼ同様の対中政策をとる豪・日・英・加に対しても、米国からある程度、自国の独立性を保っている欧州・韓国・シンガポールなどの国に対しても、そして完全な自主性・自立性を有するインドとロシアに対しても、中国は中国価値観に基づき、柔軟に対処するべきでしょう。

米中軍事戦争が起こることは覚悟しておくとしても、少なくとも、経済規模で世界一になる2032年までは、さまざまな面で劣勢である中国は、米国が仕掛けてくる経済制裁に対して、米中関係が急激に悪化しないよう、控えめに反撃するでしょう。それによって、米中の経済断絶・国交断絶・軍事戦争をできる限り、遅らせます。そして、もし、2032年までに米中軍事戦争が起こらなければ、米国は中国の経済規模が世界一になったことを認め、中国経済の持続的な成長を妨げることはできないと認識して、米中経済戦争を自ら止めるかもしれません。

豪・日・英・加４カ国が対中制裁を仕掛けてきた場合、中国は反中勢力が更に欧州・韓国などに深く広がらないために、この４カ国に対して、潰すという目的で、激しい反撃措置を2023年から、取るでしょう。中国は2020年からオーストラリアに対する制裁を発動しています。将来的に、日本が今までの対中政策を続けるのであれば、中国は官民両方から日中経済断絶の方向へと激しく動くでしょう。勿論、日本政府もそれを予想し、2010年頃から、日本経済の安全のため

に、中国にある日本企業を日本・アセアン・インドなどに積極的に移動しようとしています。2019年の中国の経済規模（142165億ドル）は日本（51545億ドル）の2.76倍で、今後日中の経済規模の差が更に広がります。このままでは、中国人の日本への旅行と留学の全面的な禁止、自動車産業をはじめとする全ての日本産業を中国から追い出し、日中貿易の断絶、国交の断絶、日中が再び戦争をするという順番で、悲惨な将来が待っているという覚悟をしておくべきでしょう。岐路に立たされている日中両国の覚悟が試されています。４カ国が米国価値観に従い、中国との関係悪化の方向に行くか、４カ国それぞれの価値観で中国価値観と平等に対話し、摩擦がありながらも、問題を解消し、正常な両国関係を築くかが、2032年までに明らかになるでしょう。

　そして、中国は、一番重要な相手である「一帯一路経済圏」の参加国や予備国である欧州・韓国・アセアンなどの国々に対して、各自の価値観を理解して、共同の利益・目標を導き出すべきでしょう。韓国にとっては、朝鮮半島の不戦・統一などの韓中共同利益があります。アセアン諸国にとっては、経済・政治の更なる発展がアセアン諸国と中国の共同利益になります。欧州にとっては、アフリカ・中東・欧州大陸の不戦による経済発展と難民問題の解消などの欧中共同利益が存在します。中国が発展すれば、これらの国の発展にも寄与するでしょう。米国覇権が存在する限り、中国はこれらの全ての国と良好な関係を結ぶのは難しいかもしれませんが、そ

の方向に努力するべきでしょう。例えば、2020年12月30日に、中国EU投資協定交渉が行われました。そして、2020年11月15日に、アセアン諸国・日本・韓国・中国・オーストラリア・ニュージーランドは東アジア地域包括的経済連携（RCEP）協定に署名しました。

このように、中国は着々と、反米国覇権の政策を実行しています。

米国の1人当たり名目GDPが2019年の中国の1人当たり名目GDPである10153ドルと同じ数値ならば、米国はどういう国になるでしょうか？　2019年に、1人当たり名目GDPが64767ドルだった米国は、2020年から2022年8月まで、新型コロナ危機により、既に100万人の感染者が犠牲になりました。そして、2020年に、黒人・アジア人の人種問題と大統領選挙に関する社会の分裂が激しくなりました。米国は、中国と異なり、もう経済発展だけでは国内の社会問題を解決することはできません。米国は1人当たり名目GDPが64767ドルに達しても、社会がこんなに分断されています。社会制度を改革して、自由・民主・人権を尊重するようにならないと、近い将来、米国は崩壊するでしょう。覇権国の衰退は新興国のせいだと思う方は多いですが、本当の理由は自国のせいではないでしょうか。つまり、歴史上良くあるように、覇権国の衰退の本当の理由は自国内の崩壊から始まるのです。

だから、中国が米中経済戦争に応じる目的は、米国の覇権を終焉させることではありません。米国自身の社会制度を改

革しない限り、中国が何もしなくても、米国はいつか内側から崩壊していくのです。

そもそも、覇権というのはどんなものでも、悪でしょう。国内的には、自由・民主・人権を尊重しないといけません。国際的には、国の大小や強弱と関係なく、各国の自由・民主・国権を尊重しなければいけません。

従って、中国が米中経済戦争に応じる目的は、覇権争いでもありません。中国は永遠に覇権を求めません。覇権を取るにも、維持するにも、莫大なエネルギーが必要です。時には、戦争も起きてしまいます。戦争の勝敗に関係なく、国民は必ず自分の人生を超えるような被害を受けます。国家の覇権のため、国民は戦場で犠牲になります。つまり、中国は、中国国民のためにも、中華民族のためにも、覇権を永遠に求めません。

中国が米中経済戦争に応じる唯一の目的は、中国経済の更なる発展のためです。経済の更なる発展により、中国国内での自由・民主・人権を追求し、国際的にも自由・民主・国権を追求します。

中国の戦略を正しく理解するためには、まず上述の中国の目的を深く理解しないといけません。この目的が実現すれば、米国の覇権は自然に消滅するでしょう。勿論、米国は国内の社会問題を認めて改革し、国際上の悪である覇権を自ら放棄することもできます。しかし、2022年の現状を見ると、米国は国内問題に対しても、国際問題に対しても、改革できな

いし、しないでしょう。今後、米国は懸命に覇権を維持するため、米中経済戦争を更に激しく仕掛けてきます。

米中経済戦争は国力面で優位にある米国と、劣勢にある中国との不対等な戦争です。そして、目的の面でも、覇権を永遠に維持したい米国と、国内での経済発展・自由・民主・人権を追求し、国際的にも自由・民主・国権を追求する中国との対等でない戦争です。

豊かな国になるという目的を達成するため、中国には持続成長が必要です。では、中国は米中経済戦争に対して、豊かな国になるという目的を達成するため、具体的にどのような戦略が必要でしょうか。

中国の戦略では、自ら米中摩擦戦争を激しくする必要は全くなく、逆に、米中摩擦を緩和する必要があります。勿論、中国の対米激しい反撃により米国の攻撃が緩む可能性もあります。中国は日英豪加４カ国に対する激しい反撃によって、彼らの対中攻撃が間違っていることを認識させます。これ以外の米国の同盟国に対してはより柔軟に対応する必要があります。中国とアセアン・EU・アフリカ・中東・ロシアなどを含む一帯一路経済圏の国々の共同利益を拡大させ、各国の価値観と対話します。最終的に、戦争がなく、持続的発展が可能な一帯一路経済圏を実現させます。

この戦略の下、米国に対して、耐え忍びながら反撃します。将来的な米中経済断絶と軍事戦争の可能性に備えながら、その時期を最大限に遅らせます。

米国の同盟国である日英豪加４カ国に対して優位にある中国は、米国との反中国の同盟を解消するよう、徹底的に反撃します。４カ国が中国を攻撃する場合は、早めに経済断絶・国交断絶の方向に持っていけるように準備し、反撃します。中国との利益の共有・拡大と価値観の平等な対話が唯一の道だと認識させましょう。この道が、米国との同盟以上に重要であるということを認識させましょう。

まとめると、米中経済戦争に対する中国の戦略は、

（１）中国が取る対抗措置の合理性についての判断基準は中国の今後の持続的な経済成長を促進できるかどうかということです。

（２）米中経済関係をより緊密にして、米国の対中経済制裁・分離政策のコストを大きくさせ、あるいは失敗させます。

（３）米国が強者であることと中国が弱者であることを客観的に認識します。そして、米中経済戦争で、中国が必ず莫大な損失を受けることも自覚します。米中経済戦争は覇権争いでもなく、中国が勝つこともあり得ず、ファーウェイ制裁のように、負けて当たり前です。その損失をできるだけ小さくします。例えばファーウェイが生き残れば良いでしょう。中国はいくら負けても粘り強く耐え、経済発展の時間を稼ぎながら徹底的に対抗します。

（４）もし、最終的に、米中軍事戦争が起こるとしても、中国の対抗措置により軍事戦争の時期を最大限に遅らせます。

（５）日本・イギリス・オーストラリア・カナダに対して、

この４カ国からかかってきた制裁措置以上の厳しい対抗措置で激しく反撃し、対中制裁を世界中に広げないようにします。

（６）欧州の国々と粘り強く交渉し、共同利益を広く大きく強くします。

（７）米中経済断絶の悪影響を軽減させるため、一帯一路経済圏をより強固にします。

（８）2032年までに米中軍事戦争を回避することができ、表1-4の経済発展モデルも順調に実現し、中国は経済規模で世界一になれば、戦略を微調整します。理想的なのは、中国が経済規模で世界一になったことを米国が認め、自ら米中経済戦争を止めることです。米中経済戦争が止まらないのであれば、中国の反撃は激しさを増し、米国覇権の終焉が早まるでしょう。

（９）米中経済戦争では米中の矛盾を解決できない可能性が十分あるので、中国は米中軍事戦争に対する準備をしないといけません。その場合、中国の損失は計り知れませんが、米国の覇権を必ず米中軍事戦争で終焉させます。

米中軍事戦争

中国は米中経済戦争をしながら今後30年間で年平均4.5％の経済成長率（表1-4）を達成したいと考えているでしょう。覇権には興味がありません。しかし、米国が覇権を永遠に保持したいなら、中国経済の持続的な成長を阻止してくるでしょ

う。米国と中国の目的は根本から異なります。どちらかが目的を転換しない限り、いつか米中軍事戦争が必ず起こるでしょう。

中国は、経済発展が自分の権利（国権）と考え、その目的を達成しようと全力で走っています。国家が崩壊しない限り、この目的を転換する可能性はないでしょう。中国は、経済の更なる発展のため、米国が仕掛けてくる米中軍事戦争に対する覚悟ができています。

米国は中国の経済発展を阻止し、現在の覇権を維持するという目的を転換する可能性はあるでしょうか。米国に米中軍事戦争を仕掛ける覚悟があるでしょうか。米国の独裁者以外、誰にもわからないでしょう。

中国の米中経済戦争に対する戦術・戦略が正しければ、近い将来中国の国力が米国を超え、更に米国の2倍、3倍とどんどん広がっていくでしょう。中国は米中戦争を避けたいですが、米国が覇権を維持したいため、米中軍事戦争を仕掛けてくるなら、応戦する道しかありません。

米国の立場は米国次第ですが、中国の立場としては、米中軍事戦争に対して備えるしかありません。

もし米中戦争が不可避ならば、中国の立場としてはできる限り、戦争を遅らせます。米国の経済・政治・戦争の圧力に対して、極限まで忍耐し、時間を稼ぎます。少なくとも、2032年、米国と名目GDPで肩を並べるまで耐えましょう。可能なら、2050年に米国のGDPの1.41倍に成長するまで

耐えましょう。

しかし、米国はそこまで待つでしょうか。

このままだと、恐らく、中国グローバル経済圏が順調に拡大していき、ファーウェイ・アリババ・テンセント・TikTokなどのハイテク企業も順調に発展していきます（あるいは中国のハイテク企業が順調に新陳代謝していきます）。米国が、経済戦争では中国の経済発展の阻止は不可能だと感じた時、覇権を守るために、急に軍事戦争を仕掛けてくるかもしれません。

そもそも、米中経済戦争で、米中経済が分断されました。相互に経済利益があまりないので、戦争が発生しやすくなっています。互いに核兵器を持っていることで、米中戦争を阻止できるでしょうか。

一方、経済力でいえば、2016年の「米中南シナ海対峙」は米国の対中戦争が確実に勝利する最後のチャンスだったかもしれません。2016年から、米中経済規模が逆転する2032年までの間が、米国が対中戦争に勝利するギリギリのチャンスでしょう。2032年以降、米国は完全に対中戦争を発動すらできなくなります。中国は世界平和のため、2032年までに米国の挑発を我慢しましょう。

しかし、戦争を含む高度な米国の世界戦略に、中国は冷静に対応できるでしょうか。例えば、1905年から始まった米国のカラーコード戦争計画での対日戦争であるオレンジ計画によって、真珠湾攻撃を仕掛けさせ、第二次世界大戦の後

期に見事に日米戦争に誘導することができました。そして、2014年のウクライナ政変を経て、2022年にロシアがウクライナに侵攻しました。2012年、日本の尖閣諸島国有化問題、2014年から始まった韓国サード問題、2016年の南シナ海裁判問題、長年の米国の対台湾武器売買問題など、どちらの地域が東アジア版ウクライナになるでしょうか。米国の高度な世界戦略に対して、中国は予想不可能ですが、全ての可能性に対して、万全に準備しなければいけません。一方、これらの国と地域は、米国が先に中国と全面戦争しない限り、大国と先に戦争する覚悟があるでしょうか。ヨーロッパ大陸での戦争と異なり、一番現実的な東アジア戦争では、米国は恐らくこれらの国に対して「あなたたちは対中宣戦布告した後、米国が必ずすぐに参戦する」と事前に約束し、東アジア戦争を扇動するでしょう。

一方、2032年までに米国が米中軍事戦争を仕掛け、そして勝ったとしても、同時に米中両国の国力は共に大きく後退するでしょう。他の大国がこの機に台頭し、米国覇権も直ちに終焉するでしょう。恐らく、このような認識が、米国が対中軍事戦争になかなか踏み切れない一番の理由でしょう。中国をどうしても潰したいとは思っていますが、それ以上に米国覇権を維持したいのでしょう。

もし2032年までに米中軍事戦争が発生しなければ、2032年以降、米中が取る戦略は大きく変わるでしょう。経済規模が世界一になった中国の国民は共産党に対して、台湾を統一

していない現状について毎年厳しく説明を求めるでしょう。その説明に納得できないなら、共産党独裁政権を倒し、統一できる政権を作ります。国民からの統一圧力を受ける共産党独裁政権は逆に米国に米中軍事戦争を仕掛けていくでしょう。中国は米国の政治家の訪台を中国への侵略と認定し、制裁するか攻撃します。米国の台湾への武器売却に対して、米国の軍需産業を制裁し、米国をテロ支援国家に指定し、制裁を加えます。米国の対台湾経済貿易が事前に中国政府に申請されなければ経済侵略と認定し、攻撃します。このように、中国は米中軍事戦争をどんどん仕掛けていくでしょう。一方、もし、米国は対中軍事戦争ができないと判断したら、中国の周辺に展開している東アジアや東南アジアの米国軍事基地を徐々に閉鎖していくでしょう。

本章では、米中戦争の発生確率が高いケースをいくつか紹介します。

(一) 米中第二次朝鮮戦争

1950年6月、朝鮮半島で内戦が勃発しました。10月、優勢に立っていた韓国側の多国籍軍が朝鮮半島を統一しようとして、中朝の境界まで攻めてきました。中国は、隣国に米国の軍事基地が存在することを絶対に受け入れられないとして、米国を警告しました。その警告を米国に無視されたため、中国は10月に正式に参戦しました。約3年後の1953年7月27日に、38度線近辺の板門店で休戦協定が結ばれ、3年間続い

ていた戦争は一時的に終結し、現在に至るまで停戦のままです。朝鮮戦争には米国軍は約30万人、中国軍は約100万人が参戦しました。結果的に、米国国防総省によれば、米国軍は戦死者3万3686人、戦闘以外での死者は2830人、戦闘中に行方不明になった人は8176人に上ります。朝鮮半島の一般市民の犠牲者は100万人以上だといわれています。中国軍の死者は少なくとも十数万人以上だと推測されています。

1950年代の朝鮮戦争の最大の被害者は、朝鮮半島にいる朝鮮民族です。その甚大な被害は今も朝鮮半島に残っています。朝鮮半島はいつ平和になるでしょうか。そして、中国も大きな被害を受けました。軍隊・物質の損失も大きく、目の前の台湾解放も中断し、今日まで実現できていません。一方、中国は莫大な利益も獲得しました。それは、中国の独立性を西側諸国に提示し、中華民族としての力強さを米国に証明し、それ以降の米国による対中軍事再戦争を躊躇させています。米国が中国の核心的な利益を損ねる時、中国は戦争も辞さず、米国と徹底的に戦います。米国が経済戦争を仕掛けてきても、価値観戦争や軍事戦争などを仕掛けてきても、朝鮮戦争で証明した通り、中華民族は必ず民族の知恵を絞り、正しい対米戦術戦略を作り、全力で徹底的に対抗します。

朝鮮半島の米中戦争で、中国は米国の核脅威も受けました。中国は、米中第二次軍事戦争に備えるため、この戦争の11年後の1964年10月16日に、新疆ウイグル自治区のロプノール湖で初の核実験を、1967年6月17日に初の水爆実験を行

いました。これによって、米中再戦争の時、米国の対中核攻撃の可能性を封じ込めました。勿論、戦争好きという価値観を持つ米国がどうしても核戦争がしたいのなら、中国は淡々と核兵器で応じるしかありません。

1950年代の朝鮮半島で、米中は3年間戦争しましたが、脆弱な中国に対して、米国は中国本土への侵攻と核攻撃の覚悟ができませんでした。

2019年、中国の経済規模は米国の66.6%まで成長してきました。核兵器も高度なミサイル技術も持っています。今度こそ、米国は中国本土への侵攻と核攻撃の覚悟ができるでしょうか。

中国の国力と中華民族の伝統文化の視点から、米国は中国と戦争をする覚悟はできないのではないかという錯覚も生じます。

一方、われわれ中国人には、別の視点も必要です。

1950年代の中国は脆弱すぎて、米国の覇権の脅威にはなっていませんでした。つまり、米国にとって、中国への侵攻と核攻撃の必要性とメリットは十分ではありません。米国は、もしかしたら共産主義である中国はいつか自爆するだろうと考えたのでしょう。

しかし、共産主義理論も進化した2019年の中国は確実に米国の脅威となりました。今後は、米国にとって、中国への侵攻と核攻撃の必要性とメリットは十分あるでしょう。米国はどのくらいの覚悟で覇権を維持しようとしているでしょう

か。もし価値観戦争や経済戦争などで、米国が中国を抑えることができなくなれば、軍事戦争を仕掛けてくるでしょうか。どちらにせよ、中国には米国の覚悟を疑う資格がありません。米国の中国への侵攻と核攻撃に対して、中国は最大限の覚悟で準備するしかありません。あるいは、米国が米中第二次朝鮮戦争を仕掛けてこようとしたら、中国は北朝鮮・韓国と連携して、朝鮮半島で絶対に戦争をしないという共同利益・理念を共有し、米国の朝鮮半島における米中再戦争計画を台無しにします。最終的に、中国の調停の下、韓国と北朝鮮が終戦宣言を締結し、米国軍を朝鮮半島から完全に追い出し、朝鮮半島は永遠に平和な半島になります。

朝鮮半島での米中再戦争のリスクはありますが、時間の経過と共に、その可能性は小さくなっていくでしょう。

(二) 台湾問題

2019年から、香港で反中国デモが大きくなりました。デモ参加者は道路や地下鉄、議事堂などを破壊し、中国本土の人に対しても攻撃します。もともと、1997年の香港返還の時、香港人へ配慮し、「一国二制度」の名の下、植民地の文化・価値観をそのまま残しました。大陸の中国人はビザがなければ香港には行けません。香港とイギリスの行き来はある程度自由です。香港と大陸は同じ国の土地ではないと思われます。いつか、中国人が自由に香港で観光や仕事、生活などができるようになるのでしょうか。これは、香港問題に対処した当

時の最高指導者、鄧小平から残された宿題です。2019年の香港人のデモはこの宿題の解決の糸口になりました。「国家安全法」を実施して、香港は「愛国者治港」のステージに移ります。今後、中国価値観をどうやって香港で広げ、英米価値観をどうやって排除すれば良いでしょうか。香港暴動を扇動・組織する英米勢力にどうやって対処すれば良いでしょうか。スパイ行為と違法暴動の計画などの理由で、香港の英米勢力をテロリストと認定し、逮捕・裁判するときはいつ来るのでしょうか。中国価値観を世界中に認めるため、まずは香港で英米価値観と競争します。中国価値観を認めない香港人に対しては、中国（香港）国籍を捨て、英米に移民してもらい、英米の地で英米価値観を実行してほしいと思っています。

つまり、今後、中国が努力すべき方向性は、香港で、英米価値観を排除し、反中国の英米国籍のスパイやテロリストを逮捕し、裁判にかけます。同時に、中国価値観を香港社会に浸透させます。

香港問題が米中軍事戦争まで発展する可能性は少ないでしょう。一方、台湾問題は明日にでも米中軍事戦争にまで発展する可能性があります。

「台湾が中国の一部であることを承認する」という条件つきで、米中両国は1979年1月に国交を樹立することを発表しました。どこの国でも、中国と国交を結びたい場合は、「台湾が中国の一部である」という認識が絶対条件です。しかし、中国の国力はまだ弱いので、米国をはじめとした先進国はしばしば

この公約を守っていません。中国にとって西側諸国は全く信用できません。一方、1995年に台湾戦争危機が起こりました。翌1996年、中華民国総統選挙に際して中国は台湾海峡においてミサイル演習を行い、台湾の有権者を恫喝しました。米国は2つの空母機動部隊を派遣し、第三次台湾海峡危機が危ぶまれました。結果的に、1996年には、台湾・中国・米国の三方とも、戦争への最後の一歩を踏み出すことができなかったため、米中戦争は回避されました。

今後、米国が覇権を維持するために米中再戦争が必要だと判断するとき、台湾問題が良い口実になるでしょう。

多くの台湾人は漢字を使い、中華文化を共有する同胞です。しかし、西洋価値観に飲み込まれて、中国価値観を敵対視する台湾価値観が年々増大しています。

更に、1895～1945年の50年間、台湾を植民支配した日本は、日本文化を台湾に浸透させ、台湾に多大な影響力を持っています。特に植民地時代、利益を得た一部の台湾エリート家族が現在も日本植民地の思想を持っています。今の台湾大統領を含む彼らを中国人と認識すべきではありません。2021年に、日本・米国の2+2対話と菅・バイデン会談で、台湾問題が大々的に取り上げられました。しかし、日本も米国も、台湾問題で中国と戦争する覚悟があるでしょうか。2022年にウクライナ戦争が発生したため、日本自ら「台湾は東アジアのウクライナ」「台湾有事は日本有事」だと決めつけます。日本の世襲独裁者の能力と素質の低さに驚きまし

た。

台湾が地理的に中国の近くに、米国本土からは遠くに位置していることから、米国は台湾問題で、中国と決着をつけづらいでしょう。

中国は台湾を統一した後、台湾問題で中国の再内戦を煽ったことについて日米を報復するでしょう。そして、日本の1874年の台湾出兵と1895～1945年の台湾の植民地統治に対して、中国は歴史の清算と「台湾賠償」を請求するでしょう。

台湾統一問題は最終的に米中軍事戦争に発展するでしょうか？

本書の経済予想モデルにより、2032年に、中国の経済規模が世界一になります。国民から国家独裁権力をもらった共産党政権は、その年から毎年、統一できない理由を国民に丁寧に説明し、納得させなければいけません。そして、統一プロセスと最終期限なども説明しなければいけません。例えば、米日英豪加５カ国の台湾との経済と人的交流は中国政府が審査します。中国の許可なく勝手に台湾に行くのであれば、侵略と見なし、軍事措置を取ります。中国は米国との経済断絶・国交断絶・軍事戦争の準備を進めると共に、台湾緊急事態を宣言し、台湾省の設立によって、台湾の領空と領海を支配し、台湾の武装勢力を解除し、台湾のテロリストと認定する独立系政党を潰し、台湾を統一してから、対米戦争に移ります。

(三)1999年中国大使館爆破事件の再来

1999年5月7日、米国空軍のB-2爆撃機は、在ユーゴスラビアのベオグラード中国大使館をJDAM爆弾で攻撃し、3人の中国人ジャーナリストを殺害し、26人を負傷させました。1999年、1人当たり名目GDPが872ドルだった中国は、1人当たり名目GDPが34495ドルの米国と全面戦争ができなかったため、この屈辱を飲み、今日までの23年間、忍耐し続けました。今後米国はまた同じように、いつかどこかの中国大使館を攻撃し、戦争を仕掛けてくるでしょうか。米国は覇権国として、他国の大使館を攻撃し、他国のジャーナリストを簡単に殺害しますが、これが米国の普遍価値観の一種でしょう。中国政府は経済状況を考慮して、その時、対等な対抗措置が取れませんでした。米国が謝罪し、もう済んだという態度で、中国は結局泣き寝入りするだけです。当時の中国は米国に報復する実力がありませんでした。軍事的にはもとより、経済的にも米国と本当に戦争する力はありません。中国人は、いつか必ずこの事件の犯人を逮捕し、裁判にかけます。中国は、国として、対等な措置が取れるように成長しなければいけません。当時私を含む多くの中国の若者がそう決意したでしょう。結局、米中全面戦争は起きませんでした。しかし、1999年以降、大使館爆破の殺人犯を処罰するまでは、米国は中国にとって永遠の敵国です。

1999年の大使館爆発事件に対して、中国が反撃しないことで、米中戦争は回避できました。今後も米国は、いつかど

こかで中国大使館・中国人を攻撃し、再び米中戦争を仕掛けてくるでしょうか。今度こそ、中国は、米中戦争をする覚悟で、対等に反撃しなければいけません。そうでなければ、共産党政権は中国で存在する意義がありません。今後、世界中にいる中国人が米国に殺されたとき、中国は直ちに報復して、米国人を殺さないといけません。

これはこの事件の当事者として私の心の中に埋めている報復の悪魔の種です。私は、今もこの心の中にいる暴力の悪魔と戦いながら、苦しんでいます。一度の暴力はどれほど長い期間、被害者を苦しめるのでしょうか。平和はどんなに貴重なものなのでしょうか。この教訓から、上述の台湾問題についても、本質が異なりますが、中国は武力行使をより慎重に考えないといけません。

(四)南シナ海事件

2001年4月1日、中国南部で米国偵察機EP-3Eと中国の戦闘機J-8は空中衝突事故が起こし、中国戦闘機のパイロットである王偉は犠牲になりました。

2016年、米国の計画で、フィリピンは南シナ海仲裁裁判所で有利な判決を受けました。中国は、事前に裁判の結果を知り、裁判所自体が違法であるとけん制しました。

裁判の前に、米国は、自らが作った判決結果によって南シナ海をコントロールするため、大規模な軍隊を展開しました。

劣勢に立たされていた中国は、全ての海軍を南シナ海に展

開しました。それでも、米国に勝てる自信がなかったため、陸軍のミサイル部隊も臨戦態勢を取りました。

米中両国は恐らく珍しく同時に、全面戦争の準備ができました。米中戦争はもう目の前でした。

不思議なのは、裁判では中国が負けましたが、その裁判結果が公表されると同時に米国軍隊は撤退しました。当時のオバマ大統領の責任が大きいでしょう。対中戦争の覚悟がないのに、なぜフィリピンを使ってそこまで対中戦争を煽るのでしょうか。2022年のウクライナのように、フィリピンだけで、中国と戦わせるのでしょうか。勿論、米国のウクライナ戦略の勝利を見たら、米国の南シナ海戦略を一方的に批判することはできないでしょう。しかし、ウクライナと違い、フィリピンは対中戦争の覚悟ができていません。勿論、中国はロシアのように、フィリピンを一方的に攻撃することもありません。中国は、歴史と国際法に基づいて南シナ海の領有権を主張します。フィリピンも同様に、歴史と国際法に基づいて領有権を主張します。将来、フィリピンと中国は、難しいでしょうが、この問題を話し合いで解決するしかないでしょう。当時の米国軍の撤退によって、東南アジア諸国の米国への信用は完全になくなったでしょう。2016年以降、フィリピンと中国の関係は良くなりました。そして一帯一路経済圏の核心にあるアセアン各国は中国との良好関係を望むようになりました。ロシアと異なり、対中戦争の覚悟がなければ、戦争展開を見せかけても無駄だというのが米国が得た対中教訓でしょ

う。逆に、2016年の米中南シナ海対峙のように、米国自身の信用を失います。中国の対台湾政策も慎重にしなければいけません。今までは、中国の台湾統一戦争の覚悟ができていませんでした。台湾・日本と米国がホットラインを超えない限り、中国は絶対に統一戦争を行いません。このスタンスは恐らく、2032年、中国が経済規模で世界一になるまで保持されるでしょう。2032年以降、中国は日米との戦争を覚悟する上で、一方的な統一過程(平和か戦争か)を発動するでしょう。

話を戻します。2016年の米国の一方的な謎の対中戦争準備と謎の撤退によって、中国にはそれから南シナ海をコントロールできるような余裕が出てきました。中国の立場としては、これはあくまでも中国と周辺諸国の問題です。米国を相手にしません。米国が再び南シナ海で米中戦争をしたいなら、中国は国力の増大と共に、南シナ海にある米国軍と全面戦争するでしょう。2016年から2022年まで、中国はまた6年間の時間を稼ぐことができました。そして、2016年のできごとで、アセアン諸国への信用をなくした米国は、再び南シナ海で米中戦争を起こすことができるでしょうか。もし南シナ海で米中戦争をするのであれば、信用をなくした米国に協力する国はほとんどいないでしょう。2020年、日本では、米国が中国の南シナ海の島を攻撃すると報道され、世論が興奮していました。さすが世界情勢を知らない日本の世論です。2016年以降、南シナ海で米中戦争のリスクがなくなったとはいえ

ませんが、だいぶ低下したのではないでしょうか。次の危機は、むしろ尖閣諸島と台湾でしょう。

米国にとって、米国の本土から遠い中国近辺に軍事展開することは莫大な経済コストがかかります。中国の損失が小さく、米国の経済コストが大きい南シナ海・東シナ海の米国の軍事展開に対して、中国は万が一の時の軍事戦争を警戒しつつ、喜んで歓迎すべきでしょう。

(五) 尖閣諸島問題

南シナ海で米中戦争が発生するという妄想に近いことを望むより、日本が莫大な影響力を持つ帝国時代の植民地だった台湾を支持し、米国と手を組んで、対中戦争を仕掛けてきたりするでしょうか。少なくとも、2021年3月の日米2+2と米韓2+2会合を見てもわかるように、台湾と日本は米国が持つ現実的な大きな対中戦争カードです。

2021年の日米2+2会合後、台湾・香港・新疆・南シナ海・人権・自由・民主など、あらゆる面で、日米は、中国を批判しました。中国はこれを日米の対中戦争の始まりだと認識すべきでしょう。同時に、中国を批判しない米韓宣言を見ても、米中朝鮮半島再戦争のリスクはだいぶ低下したことがわかります。

米国にとって、経済力世界３位の強国である日本の協力を得られれば、対中戦争の勝算は増えるでしょう。そして、米国本土から遠い地域にある、世界２位と３位の経済力を持つ中

国と日本が戦地になり、一度の戦争で両国が同時に崩壊するかもしれないというメリットも大きいものでしょう。もし日中再戦争が起きるとしたら、米国と組んで臨むのが日本にとっては一番の方策でしょう。このように、日本も米国も十分な理由やメリットがあって中国と戦争するのです。2021年の日米2+2会合、日米豪印価値観同盟、米英豪軍事同盟、安倍晋三と高市早苗の敵基地先手無力化理念、台湾有事イコール日本有事理念など、着々と対中戦争の土台を準備しています。同時に、軍国主義理念を持つNHKの宣伝も日に日に強くなります。

日米同盟が対中戦争をしたいなら、どうやって仕掛けてくるでしょうか。

今度も絶好のチャンスがあります。

尖閣諸島です。

台湾には、自分が中国人だと認める台湾人もいます。米国の高度な戦略が実行されなければ、戦地にならないかもしれません。台湾と違い、尖閣諸島ではより戦争が起こりやすいですし、米国もこのカードを使いやすいでしょう。尖閣諸島は中国にとって、譲れない固有領土です。同時に、尖閣諸島は日本にとっても、日本が実効支配する譲れない固有領土です。日中両国にとって、双方とも十分な知恵がなければ、ほぼ平和的に解決する可能性がありません。尖閣戦争が起きれば、日本国民も中国国民もほぼ戦争を支持するでしょう。戦争に勝つためには、国民の支持が最低条件です。そして、米

国にとって、米中軍事戦争がしたいのであれば、中国大使館を爆破するより、日中問題に由来する米中尖閣戦争は道義上の問題が少ないでしょう。

米国にとって良いシナリオは、まず、尖閣で、日中戦争が「偶然」発生し、米国は後から同盟国としての責任を取り、日本を防衛するため、日中尖閣戦争に参加し、米中尖閣戦争に発展させます。

尖閣諸島はなかなか面白い問題でしょう。歴史上、大きな戦争は、ほとんど、小さなところから起き、また、偶発的に起きます。小さな尖閣諸島からも、大きな戦争が起こるでしょうか。

以上、5つの米中軍事戦争リスクを紹介しました。2016年に一度決着した南シナ海問題由来のリスクはだいぶ低下したと思われます。どこかの中国大使館を攻撃することに対して、中国が直ちにどこかの米国大使館を攻撃する意志を示せば、米国は恐らくこの行為を止めるでしょう。残りの朝鮮半島・台湾と尖閣諸島はいつ戦争が起こってもおかしくないでしょう。いずれにせよ、米国の高度な国際戦略に基づく行動を軽々と単純に予想するのではなく、全てのリスクに対して、中国は着々と万全な準備をしなければなりません。米国は、いつ、ウクライナカードを切るように、台湾・日本・朝鮮半島のカードを切るでしょうか？

第三章

日中関係の予想

日中両国は、尖閣諸島問題と歴史上の戦争問題を平和的に解決する文明を持っているでしょうか。この疑問を持ちつつ、日中関係を分析します。

日中共同体

2019年、日米中の名目GDPがそれぞれ5.15兆ドル、21.34兆ドル、14.22兆ドルで、中国の名目GDPは日本の2.76倍、米国の66.6％に達しました。本書の経済予想モデルにより、2032年に、日米中の名目GDPがそれぞれ5.87兆ドル、27.61兆ドル、28.16兆ドルとなり、初めて中国の経済規模が米国を上回ります。この時、中国の名目GDPは日本の約4.80倍になります。同時に、2032年の日米中の１人当たり名目GDPはそれぞれ46487ドル、83784ドル、20114ドルで、中国は日本の約43.2％、米国の約24.0％です。

楽観的に考えると、2032年前後に、米国と日本は中国の一帯一路経済圏に参加するでしょう。その前に、米中は共に

TPP（CPTPP）に参加するでしょう。
日本が一帯一路経済圏に参加すれば、日中経済はもっと緊密になると予想できます。日中経済の連帯が緊密になれば、交流も盛んになり、互いに相手の価値観をより理解することができるかもしれません。
中国には巨大市場と巨大工場があります。日本は世界トップレベルの技術力を持っています。互いに協力すれば、もっと大きい利益が生じるでしょう。
日中関係が良くなれば、そして、日韓関係と韓中関係も改善すれば、日韓中主導で、北朝鮮・台湾・香港などを含む東アジア共同体の実現が可能になるでしょう。戦争がなく、国境がなく、繁栄する東アジアを最終的に作り出します。

日中再戦争

しかし、日中両国が互いに相手国に対して嫌悪感を持ったままだと、日中関係はもっと悪くなるでしょう。互いに相手国を戦略的な競争相手だと認識し、相手の繁栄が自国の損になると思い、最終的に戦争にまで発展するでしょう。
日本が台湾政府を支持すれば、中国は福建省で台湾省臨時政府を作り、中国人だと思う台湾人の中国国籍を登録し、台湾でビジネスを展開する外国資本を登録し、管理します。つまり、戦争によって台湾を統一する前に、中国は今の台湾政府が違法であると認定し、新しい台湾省臨時政府を成立させ

ます。内戦によって、台湾統一が実現したら、中国は1874年の台湾出兵をはじめ、それ以来日本政府の全ての行動に対して清算を求めるでしょう。毛沢東時代、中国大陸での戦争賠償については放棄しましたが、台湾での戦争・植民賠償については請求するでしょう。そして、台湾にある日本の資本を凍結し、台湾に対する日本の全ての行動を検証するでしょう。また、中国政府が支援する団体は琉球共和国の独立を促進するため、琉球共和国臨時政府の設立を支持します。琉球の地で設立できなければ、まず、歴史上、琉球発展のために多くの移民を出した中国の福建省で設立するでしょう。

日本が推進する中国包囲網である日米豪印価値観同盟に対して、中国は北方四島に投資し、ロシアの要請があれば、その投資の安全を確保するため、北方四島に露中共同軍事基地を作ります。米軍が撤退した朝鮮半島に対して、朝鮮半島が竹島を有していることを支持します。最終的に、反日本侵略戦争価値観の下、中国・ロシア・琉球・朝鮮半島は協力して、日本包囲網を作り、日本が再び戦争ができないように抑え込みます。

今後、日中は共同繁栄を目指すか、それとも再戦争まで発展するか、今岐路に立っています。

価値観の違いを互いに尊重し、領土問題を解決し、歴史の不信が解ける、そんな日中両国の運命共同体の未来は本当にやって来るでしょうか。

（一）尖閣諸島

尖閣諸島は日本が実効支配しています。しかし、中国も領有権を主張しています。両国とも一歩も引けない状況になっています。日中両国が何らかのきっかけで、一気に戦争に発展する可能性は十分あります。

あるいは、日中両国が戦争しないように慎重になっても、米中戦争のきっかけが欲しい米国が尖閣諸島について日本の世論を操作し、日中尖閣戦争を仕掛けてくるでしょう。

日中両国とも、この危機を十分に準備しなければいけません。

（二）米中戦争

米中戦争が起きれば、日本は米国の同盟国なので、事実上、日中戦争が再び起きるでしょう。

なぜなら、ウクライナ戦争と違い、米中戦争の時は、中国は全ての国に対して、米国に協力しないように要求するでしょう。日本にある米国の軍事基地を使ってはいけません。米国軍の後方支援もしてはいけません。燃料も食糧も薬品も提供してはいけません。米国軍に協力する国に対しては、中国を攻撃する意志があるとみなし、中国は反撃するでしょう。1950年代の朝鮮戦争で、中国は国力が弱く、米国軍に協力する日本に対して反撃できませんでした。しかし、今度米中戦争が起きる時は、中国は必ず米国の協力者を攻撃します。中国は米国本土のみならず、日本も攻撃するでしょう。その時、もし韓国にも米国軍事基地があれば、韓中戦争も起きる

でしょう。東アジアは再び戦場になります。そうなれば、どれくらいの期間、戦争が続くでしょうか。そして、どれくらいの参戦各国の国民が戦死するでしょうか。

中国は、この戦争を回避するため、努力しなければいけません。一方、戦争が起きる可能性は捨てきれないので、常に米中戦争の準備も必要でしょう。

(三) 日米中現代三国志の予想

中国と日米英豪加5カ国との国家間関係が急激に悪化し、明日にでも戦争にまで発展するかもしれません。しかし、英豪加は地理上中国と遠いところにあり、中国と全面戦争になる可能性は低いでしょう。互いに相手国の国内まで何万人以上の軍隊を派遣し、大規模戦争をしないでしょう。勿論、英豪加と中国の間の国民感情を考えると、互いに相手国をミサイルで攻撃する小規模戦争は否定することができません。一方、日米と中国の間では、国の命運を懸けて、国力をあげて戦う恐れが極めて大きいでしょう。

2018年の米中経済戦争以来、米中関係がより不安定になり、明日にでも米中軍事戦争が起こる恐れがあります。

では、米中軍事戦争が起こったら、日米中はそれぞれ何を思い、どんな行動をとるでしょうか。

ここでは大胆に根拠なく予想します。

（1）米国の立場：本書の中国経済発展モデルの実現を阻止するため、米国は経済戦争・政治戦争・価値観戦争の手段を

使いきりますが、中国の正確な対抗戦術と戦略で、失敗で終わります。覇権を維持するため、米国は最終手段として、米中軍事戦争を発動します。米中経済戦争で、米国も莫大な損失を受けましたが、軍事戦争では最小限のリスクしか負いたくないでしょう。大勢の米軍を出しますが、米国本土には戦争が及ばないようにするでしょう。中国の脅威を感じている日本を使い、日米同盟で中国を攻撃するつもりでしょう。日本と中国が戦地になり、同時に崩壊することを望むでしょう。戦後、崩壊した中国は米国覇権の脅威にならなく、崩壊した日本は今より米国がコントロールしやすくなるでしょう。

第一次世界大戦と第二次世界大戦での米国の行動を見ると、米国はなるべく戦争の前期に対戦双方に資源や武器などを提供し、利益を得ます。後期になると、参戦するきっかけを作り、戦争を終結させ、戦後戦勝国として戦争ボーナスを長く多く享受します。米中軍事戦争で、米国はこのような戦略を実現できるでしょうか。2016年の南シナ海問題でフィリピンを利用しようと考えましたが、実現できませんでした。次に利用できるのは台湾と日本だけでしょう。しかし、台湾だけでは中国に対して長く抵抗できないでしょう。残る日本は、本当に中国と長く戦争する覚悟があるでしょうか？　今度の米中軍事戦争は、もしかすると、米国が最初から参戦しないと実現できないかもしれません。この意味では、米国にとって、この戦争がもたらすデメリットとリスクが大きいです。米国はなかなか決断しづらいでしょう。

一方、米国にとって、１度の戦争で、脅威である世界２位と３位の経済大国が同時に崩壊するかもしれないというメリットもあります。これは米国にとって、冒険に値するメリットといえるでしょう。

（２）日本の立場：日中戦争の清算や、中国の経済力・政治力・軍事力が現在日々増大していることから、日本は今、国家としての存続危機を強く感じているでしょう。国の命運を懸けても、中国の発展を止めなければならないと思うでしょう。米国が覇権の維持のため、中国と対立している現状を認識し、日本はどうしても米国の実力を利用したいでしょう。これで、日米の中国潰しの思惑が一致します。しかし、対中経済戦争や政治戦争、価値観戦争では、中国の発展を止めることができませんでした。残る手段は軍事戦争だけです。米国が本気で対中軍事戦争をしたら、米国は中国本土を攻撃して勝つでしょう。米国の勝利のため、日本は米国を後方支援します。そして、日本は、第二次世界大戦の敗戦で、米国から課されたさまざまな軍事発展の制限を、これを機に、本当の日米共同体として、米国から解除してもらい、真の世界2位の大国になることを実現します。米中軍事戦争で、世界２位の中国が崩壊し、中国の脅威をなくします。同時に、日本はやっと第二次世界大戦の敗戦の影響から逃れ、軍事を発展する権利を取り戻し、長年の目的である正常国家になります。勿論、米国も中国との戦争で、大きな損失を受け、長年日本を苦しめる米国の覇権が崩壊すれば、日本にとって、もっと

良い結果でしょう。

日本にとって、この戦争で、世界一の米国が弱くなり、世界２位の中国が崩壊し、日本自身の発展の制限も米国から解除されることは大きなメリットだといえ、冒険に値するでしょう。

日本の戦略家たちは、日本が許容できる損失を計算しつつ、米中戦争の発生を煽り、計画しているでしょう。よりレベルが高い米国の戦略家たちは日本のこのような思惑をどうやって利用するか、今悩んでいるでしょう。

（３）中国の立場：米国が覇権をどうしても維持したいなら、米中軍事戦争は不可避でしょう。中国は米中軍事戦争に向けて着々と準備しなければいけません。中国はまだ弱い国ですから、できれば、遠くにある米国の本土を攻撃することなく、全力で中国本土を守ります。戦場は中国本土か中国の周辺になるでしょう。軍事面で優位に立つ米国は米国の本土から遠いところに参戦するので、後方支援が大きな問題になるでしょう。米国は必ず琉球と日本にある軍事基地を使い、日本の後方支援を受け、中国を攻撃するでしょう。中国は最初から、日米共同体を崩壊させる必要があります。米国に対して、中国は米国本土にミサイル攻撃をしない代わりに、米国は中国本土を攻撃してはいけないと交渉するでしょう。もし、米国が上海を攻撃したら、中国は必ずニューヨークを破壊します。このように、米国の米中戦争の烈度の覚悟を試します。米国がこの条件を飲めば、米中軍事戦争の戦地は琉球や日本、

太平洋などになります。飲まないなら、米中両国とも戦地になる終わりが見えない米中の総力戦になります。米中共に広い国土を持っているので、かつての朝鮮戦争の3年間を遥かに超え、十年以上の大戦争になりえるでしょう。

沖縄県と本土に対して、中国は、軍事基地を米国の対中戦争に使わないことを要求します。米国軍に対して一切の食糧と石油などの物質も提供してはいけません。沖縄県と本土にある米国軍は対中戦争に参戦したいなら、一度沖縄県と本土を出て、米国本土の軍事基地に戻る必要があります。沖縄県と本土がこれを保証できなければ、対中戦争宣言と見なし、中国は日本を攻撃するでしょう。1930年代の上海戦争や南京戦争などの報復として、何万発のミサイルで東京や大阪を爆破するでしょう。このようにして、日本の日中再戦争の覚悟を試します。勿論、米国からの協力の有無と関係なく、日本も必ず報復して北京や上海などを攻撃するでしょう。日中は再び民族存続を賭けた、激しい日中大戦争になります。その時、米国は加わるでしょうか。普通なら、同盟国としての信用を守るため、米国も北京や上海を攻撃すべきでしょう。中国は軍事上、米国の北京や上海の攻撃を予想し、ニューヨークなどを攻撃する対抗手段を準備しておきますが、米国の一貫した価値観と信用性を考えると、米国はニューヨークなどの本土の安全のため、適当な理由を探して、中国の本土を攻撃しない可能性が高いでしょう。

米中軍事戦争は中国にとって、良いことは1つもありませ

ん。少しでも平和の希望があれば、それを追求しなければいけません。日本の日中再戦争への覚悟が足りず、日本の協力が一切もらえない場合、米国は米中軍事戦争を仕掛けてこないでしょうか。米国の対中軍事戦争への覚悟が足りず、米国の協力が足りない場合、日本は日中再戦争を仕掛けてくるでしょうか。

対米戦争を回避するため、中国は事前に米国を説得する必要があります。米中戦争が起これば、中国は朝鮮戦争のように、必ず全国力をあげて最後まで戦い抜きます。中国全土が崩壊しても、米国本土も必ず戦場になり、酷い損失を受けます。そうなれば、米国がどうしても維持したかった覇権はもっと早いペースで終焉していき、軍事作戦に全面参加していないドイツ・フランス・イギリス・ロシア・インドなどの大国が得をします。米国がどうしても対中戦争をしたいなら、戦後、覇権を少しでも維持することに賭けたいなら、全ての大国を参戦させなければいけません。覇権を永遠に追求しない中国は、米中戦争が起こった場合、できるだけ他の全ての大国に中立的な立場を取ってほしいと働きかけるでしょう。

一方、もし、どうしても米中戦争が阻止できないなら、弱い立場の中国は正確な戦術と戦略が必要でしょう。戦争が始まったら、終息は簡単ではありません。戦争がどのように進んでいくのかの予測も難しいでしょう。全ての国は自国の利益を優先して、さまざまな思惑で対策を探っていくでしょう。予測不能な大戦争について、中国は、今すぐでも、日米の分

断、米中の戦地についての交渉、米中の戦争に投入する武器についての交渉、米中戦争、日中戦争、米国の全ての同盟国を含む米国陣営と中国の戦争など、いろいろと準備しなければいけません。例えば、全ての西側諸国との経済断絶を予測し、中国は2021年から「内循環」経済システムの構築を急ピッチで促進しています。同じく、今、日本も米国も対中経済戦争と軍事戦争のリスクを考慮し、中国離れの政策を着々と取っているでしょう。

こんなに軽々に戦争についての妄想を展開しますが、本当に戦争が起こったら、必ず、無数の命が失われ、町が崩壊し、国の富が消えます。国家間の戦争からもたらす悲惨さを無視し、自国が戦争で何かを得られるということだけを考える人は、能力と素質が低い軍国主義者と決めつけても良いでしょう。

第四章

2032年からの人類運命共同体構想を目指して

イギリスは17世紀の科学革命に続き産業革命でも世界に先駆け、海洋民族として、進取の精神に富む国民の海外進出も目覚ましく、19世紀なかばには世界一の工業生産力と植民地をもつ帝国を築き上げ、地球規模の戦略を持ち始めました。1840年、「自由民主的な」イギリスは、中国人がアヘンを使用する「自由と民主」があるべきのために、アヘン戦争を仕掛けました。

1871年、ドイツが統一されました。

先に工業化した西側諸国は、「自由民主」的な覇権価値観を地球上の各植民地に拡散していきました。

19世紀後半から米国とドイツの工業化により、イギリスは世界的優位を失い、20世紀に入るころから国力が衰え始めました。各帝国は国力の変化と共に、植民地などの利益分配に不満を持ち、1914年7月28日から1918年11月11日までの第一次帝国覇権戦争（言わば第一次世界大戦）で、決着をつけます。戦場から遠くにいる米国は、戦局を冷静に分析し、対戦双方の国益を守るため、対戦双方に公平に武器と物

資を販売していました。戦後の利益分配のため、戦争後期の1917年に参戦の口実を作り、やっと参戦しました。

1919年のパリ講和会議においては「５大戦勝帝国」（イギリス、フランス、日本、米国、イタリア）が会議を主導し、一連の講和条約を敗戦国に押しつけ、敗戦国の領土と植民地を分割し、戦争ボーナスを手に入れました。そして、植民地利益と戦争利益を確保するため、国際連盟が設立されました。

第一次世界大戦後、戦場になった欧州が弱くなったのとは対照的に、米国は確実に地球最強国に成長しました。最強国である米国は更に周到な世界戦略を練っていました。1920年代、日本・イギリス・ドイツなどを仮想敵国として、カラーコード戦争計画を想定していました。その中の対日戦争はオレンジ計画だと思われます。準備の始まりは日清戦争の1894年頃、あるいは日露戦争の1905年頃でしょう。

第一次世界大戦後、十数年経ち、ドイツは復興し、ソ連はより強くなりました。1929年にウォール街から始まる世界大恐慌が発生し、各帝国は再び利益分配で衝突します。世界恐慌を受けて、大量の植民地を持つ英仏両国はブロック経済体制を築き、経済危機を乗り越えようとしました。第一次世界大戦の敗戦で全ての植民地を奪われたドイツは再軍備して領土拡大政策を取り始めました。1935年6月18日に、欧州大陸の勢力均衡を追求するイギリスはヒトラーのナチスドイツとの間に、英独海軍協定を締結しました。1938年から、イギリスの許可の下、ドイツはオーストリア、チェコスロバ

キアなどを併合しましたが、なかなか各植民帝国が期待する独ソ戦争が始まりませんでした。そして、1939年8月23日にドイツはソ連と独ソ不可侵条約を締結しました。英仏は独ソ開戦の前に、自分たちが先にドイツと戦争するリスクが大きくなることに気づき、加えて独ソ連盟の強大化を警戒する米国からの圧力もあり、急に対ドイツ戦争を準備し始めます。1939年9月、ドイツのポーランドへの侵略を機に、英仏は参戦しました。英仏の参戦に満足した米国は中立国として、全ての参戦国と貿易をしながら、日英仏独伊ソの帝国戦争を静かに観察していました。1940年から、米国は東アジアの帝国である日本との間で、自由貿易と経済制裁のバランスを絶妙に取り、日米交渉を順調にコントロールしています。中立帝国である米国は、戦局を見極めて、終戦の時期を予想し、参戦のタイミングを慎重に探ります。全てをコントロールしている米国は、まさか日米交渉の最中の1941年12月8日に、日本が真珠湾攻撃を開始するとは想像もしませんでした。戦局がまだ長く続くと考えていたため、国益のため、参戦するタイミングではないと考えていました。しかし、真珠湾を攻撃され、米国は仕方なく、３年早く参戦してしまいました。米国は今もこの早すぎる参戦のタイミングを後悔しているでしょう。

第二次世界大戦が終わり、米英仏ソ４カ帝国は戦勝国になり、国際連合を作り出し、戦勝国としての利益を分配します。米英仏ソ中５カ国は、国際連合に常任理事国の枠を作り、戦

後の世界を独裁統治し始めます。戦地になったイギリスは更に弱くなり、政治・経済をはじめ多くの面で米国に覇権を譲りました。一方、5カ国の中、最強国である米ソは事実上の国際社会の独裁者として、戦後の冷戦時代を作り出します。

その後、敗戦国である日独伊は再び経済が復興し、強国に戻りました。1973年、ほぼ第二次帝国覇権戦争（いわば第二次世界大戦）の主要参戦帝国である日米英独仏伊は独裁集団G7を作り出しました。1989年に冷戦が終結し、1991年にソ連が解体し、その継承者であるロシアは1998〜2014年の間、この独裁集団に加わり、G8を一時的に作り出しました。一方、ソ連から脱退した東ヨーロッパの国々には米国価値観が浸透し、ロシアとの緊張関係が日に日に増大しています。米国がリードする軍国主義集団NATOもどんどん東へと拡張していきます。その中で、ロシアにとって戦略上重要な役割を果たしている、同じソ連から脱退したウクライナ国内の親ロシア派勢力が鎮圧され、親米勢力が強くなり、ウクライナとロシアの緊張関係が激化しました。2014年、ロシアはウクライナのクリミア半島を一方的に併合しました。そして、2022年2月24日、ロシアはウクライナを侵攻し始めました。軍人と民間人の犠牲者、破壊された町、壊れた生活などが連日、テレビで報道されています。勿論、イラク戦争・アフガニスタン戦争・シリア戦争にも、同じようなことかこれ以上のことが起きましたが、それほど多く報道されませんでした。

そして、2022年6月、マルクス主義とヒトラーを作り出

したあのドイツの地で、スーツを着て素晴らしい笑顔を見せる帝国集団G7の独裁者たちが再び世界のために動いています。同じ6月、NATOはスペインで総会を開き、大西洋以外の日本・韓国・オーストラリア・ニュージーランドなどを招待しました。ロシアの国境まで拡大したNATOは、ロシアとの核戦争を恐れて、東拡を挫折したため、東アジアへと拡大したいのでしょう。中国はそれを盛大に歓迎しなければならないでしょう。勿論、NATOの名の通り、NATO自体は東アジアに拡大しないでしょうが、日米豪印価値観集団・米英豪軍事集団のように、米国はNATOを利用して、何か新しい東アジア戦略を作っているでしょう。

同時に、2019年12月に中国武漢で初めて、起源がいまだ謎であるコロナウイルスのニュースが報道されました。2022年までに、世界で何億人以上が感染し、何百万人以上の死者が出ました。

しかし、米中摩擦により、分断した地球上の国々は協力してコロナウイルスと戦うことができません。人間以外の目から見ると、愚かな人類が混乱していると思われているでしょう。

コロナ危機はいつか去るでしょうか。そして、最終的にコロナウイルスは人類にどのくらいの感染者数と死者数を残して去るでしょうか。

インターネット上の未確認の情報として、2021年の主要各国の核弾頭保有数は米国7650発、ロシア8420発、フランス300発、中国240発、イギリス225発だそうです。

12年後の2032年、中国の名目GDPが28.16兆ドルに達し、初めて米国を上回ります。この12年間で、もし米中戦争が起こらなければ、その後、新しい世界秩序がやって来るでしょう。

2032年から、中国は、今の不平等な独裁的な古い世界を改革し、新しい世界秩序を作り出します。

国内の経済については、表1-4に示すように、持続的な発展を実現します。

国内の政治については、中国共産党は党員数が何億人にまで巨大化し、その後解体されます。中国共産党の独裁も終焉し、自由民主的な共産主義社会が実現します。

国際的には、一帯一路経済圏を推進し、特にアジアとアフリカなどの貧しい発展途上国での約5～10％の持続的な経済発展を追求します。経済の発展と共に、戦争をなくすための「中国平和と発展協力機構」を構築します。国内外の経済と政治の目標を実現しながら、中国価値観である人類運命共同体も推進していきます。最終的に安定・繁栄・平和をもたらす中国グローバル共同体を構築し、中国価値観の人類運命共同体を実現します。

中国が進もうとするこの道の途中で、地球を崩壊する米中大戦争が回避できるでしょうか。

おわりに

(一)

本書の第一部では、まず中国経済の基本的なデータを提示し、今までの中国経済の事実を紹介しました。1980年から2019年の40年間、中国経済は年率平均約9.4%で成長してきました。2019年の中国の1人当たり名目GDPは10153ドルに達し、発展途上国でありながら、先進国の仲間入りの一歩前に来ました。

この過去40年間の確かな中国経済のデータに基づき、本書独自の中国経済発展モデルを提示し、2050年までの中国経済を予想しました。コロナ危機下の2020年の中国経済の実質GDP成長率を6%と仮定し、2021年から2050年までの間は前年成長率より-0.1%で年々減少していくと予想しました（表1-4）。この予想モデルでは、2020年から2050年までの31年間の中国経済の平均実質成長率は4.5%に相当することも意味しています。

この経済予想モデルにより、中国は、2023年に先進国の仲間入りの最低基準に達し、2032年に経済規模で米国を超え、世界一になり、2050年に経済規模で米国の1.41倍と1人当たり名目GDPで米国の33.2%になります。

本書の中国経済発展モデルによって、2050年までの毎年の中国経済データ（実質成長率・名目GDP・1人当たり名目GDP）を明確に提示し、読者は毎年、本書の予想データを実際のデータと比較しながら、本書の経済発展モデルを検証することができま

す。著者の私も、常にこの経済発展モデルを検証し、改善していきたいと思います。

恐らく、中国は本書の経済予想モデルの2020～2050年までの31年間の年平均4.5％の実質成長率を達成しがたいと思います。一方、長年の米国の経済成長率より遥かに高い成長率で成長していく中国は、為替相場で元高ドル安をもたらすと予想されます。結果的に、毎年の中国の名目GDPと1人当たり名目GDPは本書の経済予想モデルの予想値より遥かに高いと考えられます。

（二）

本書の第二部では、中国の政治・社会システムについての事実と将来像を紹介しました。今の地球文明では、国家権力が存在する限り、どの国も独裁を避けられません。西側諸国は「選挙」を発明し進化し続け、国家独裁を抑えようとしています。しかし、西側諸国の現実は、資本集団と世襲家族と既得権益者が「選挙」の名を借りて、独裁を合法化し、更に独裁を強化しているだけです。

中国はまず自国の政治独裁の現状を正しく認識すべきです。1つは、政治選挙がほとんどなく、中国共産党が唯一の指導与党だという事実です。もう1つは、ほとんどの国民に支持されている共産党の指導の下、共産主義社会を実現しようという事実です。

中国の独裁政治を改革するため、独裁勢力を特定する必要があります。本書は中国の政治システム上、国民でもなく、共産党でもなく、習近平でもなく、共産主義理念だけが、中国の最高権力を掌握しているという分析から、「共産主義理念」が中国の最終的な独裁勢力だと定義し、中国が独裁国家であることを認めます。

このような中国の政治独裁の現状を正しく認識し、政治システムを改善・改革していきます。民主主義を実現する１つの手段としての選挙をいつ、どうやって中国に導入するかが課題になります。一方、西側諸国のように、資本集団と世襲家族と既得権益者が「選挙」の名を借りて、独裁化する政治システムになってしまうことを警戒しなければいけません。勿論、「共産主義理念」と「資本集団・世襲家族・既得権益者」は同時に独裁者になる可能性がありませんが、「独裁権力」を争う可能性が十分あります。この争いが激化すると、国民が分断され、巨大中国が崩壊するリスクもあると考えられます。

上述の中国政治システムの独裁の本質を紹介する上で、更に中国の独裁政治システムの具体的なメカニズムを分析しました。

本書では、中国の国家独裁権力構造を4段階に分けてわかりやすく分析しました。約2300名の共産党下層幹部で構成される「第四級指導部」である党大会。共産党の中間層である約200名の中央委員と約170名の中央候補委員で構成される「第三級指導部」である党中央委員会。共産党の上層部である約25名の政治局委員で構成される「第二級指導部」である党中央政治局委員会。最後に共産党の各分野の最終責任者である約7名の政治局常務委員で構成される「最上級指導部」である党中央政治局常務委員会。この４つの指導部は事実上の中国の広義の「最高指導部」です。ただし、ニュースで報道される「最高指導部」はほとんど「最上級指導部」を指します。最高指導者も必ず「最上級指導部」のメンバーの一人です。

更に、5年に１度の党大会、年に１度の党中央委員会、月に１

度の党中央政治局委員会と週に１度の党中央政治局常務委員会の開催によって、共産党は短期緊急目標と長期戦略目標のバランスを取ります。このように、独裁政党である共産党が優れた組織力を持ち、14億人を有する中国を安定して効率良く統治しています。

そして、中国政治のより具体的な本質を理解するため、全ての指導部の実質的なリーダーである各時代の最高指導者も詳しく紹介しました。毛沢東から習近平まで、今までの中国には5名の最高指導者が存在します。この5名は世襲と資本との関係がなく、自身の能力で激しい権力闘争を勝ち抜き、最高指導者になりました。中国の実質上の最終独裁者は「共産主義理念」であると分析しましたが、「独裁」を実行するのは各指導部のメンバーです。その全ての指導部の実質的なリーダーは最高指導者です。5名の最高指導者の経歴を分析し、時の最高指導者が中国独裁政治の最終の責任者であると結論づけました。

西側諸国が何十年も前から中国と接触してきた理由は、中国政治を西側体制に変えたいということだそうです。それに挫折し後悔しているそうですが、今後はもっと中国に圧力を掛けてくるでしょう。西側諸国が真の自由民主的な国なら、中国の政治体制を選択するのは中国国民だけの自由と権利だと理解できるはずです。しかし、現実には、西側諸国は資本集団と権力集団による独裁国家ですので、真の自由・民主・人権・国権などの意味を理解できません。今後、中国と西側諸国の闘争は益々激しくなるでしょう。

西側諸国の中国独裁政治に対する批判と、中国人が中国独裁政治を改革していくことは似ているところがありますが、やり方と目標は全く違います。西側諸国は中国の独裁政治を終えるため、

共産党を崩壊させ、「結社の自由と民主選挙」の導入を要求します。しかし、中国人にとって、西側諸国の「結社の自由と民主選挙」の本質は、資本集団と世襲家族と既得権益者による「資本の自由と独裁選挙」だと考えます。中国が今の「共産主義理念」の独裁から、「資本集団と世襲家族と既得権益者」の独裁に変わるわけがありません。

中国政治システム改革の目標は今の共産党独裁を終え、共産主義社会を実現します。この目標を実現するため、中国の国家指導思想を理解する必要があります。そして、西側諸国からの価値観攻撃に対して、中国価値観の提示と進化が急務になります。第二部第四章では、中国の国家指導思想と中国価値観を明確に紹介し、今後の更なる改革と進化についても提示しました。

一方、西側諸国の資本主義制度の本質は、世襲家族を含む既得権益者集団と資本家集団により、選挙と世論がコントロールされている独裁政治です。衰退している西側諸国の独裁政治は今後、どうやって改革していくのでしょうか。西側諸国の国民と中国の国民は共に権力側の人間ではありませんし、権力者たちと戦う時、協力すべきでしょう。これは、単純に、国民と権力独裁者の戦いです。

価値観についても、私の中国国民価値観である「実事求是の追求・自由の追求・民主の追求・平等と公平の追求・法治の追求・教育の重視と教養の追求・改革理念・人類運命共同体理念」を明確に提示し、米国価値観の本質である「独裁資本と米国覇権」と真剣に争います。中国は現時点の社会主義社会での自らの独裁を認め、更に中国独裁の本質を正しく認識しながら、少しずつ中国

価値観である自由民主的な共産主義社会に近づけるように改革していきます。

西側諸国の干渉とは関係なく、中国自身が安定的に発展し、共産主義社会の最終目標を実現するため、独裁政治を改革して民主政治にする必要があります。第二部の最後には今後の中国独裁政治改革モデルを明確に提示しました。経済の持続的な成長と共に、中国共産党員の数を5億、8億、10億にする努力が必要です。更に、地方ごとに共産主義政策を推進し、教育・農業・住宅分野にも先に共産主義政策を導入します。最終的に、国民に対して共同富裕の実現と権力に対する共産党の消滅で、中国は「共産主義社会」が実現すると同時に、独裁者としての「共産主義理念」も幕を閉じます。勿論、現在、独裁を実行している共産党や各指導部、最高指導者なども歴史から退場します。その時、中国は自由民主的な共産主義国になります。

(三)

第一部と第二部では、中国の経済、政治、価値観などを紹介しましたが、第三部では、中国と世界の関係について分析しました。

第一部の中国経済予想モデルを実現するため、外部環境の安定は不可欠です。その一方で、米中関係は悪化することが必至です。中国は覇権を求めませんが、中国経済の持続的な成長は自然と米国覇権の脅威になります。中国の経済規模が世界一になってから、米国覇権の衰退は更に加速すると予想しました。米中両国は、米国覇権の維持と中国経済の持続的な成長の内、どちらか1つしか選択できません。中国が国として存在する限り、経済の持続的な

成長の権利は譲れません。そうなると、米国は覇権を自ら放棄する覚悟があるでしょうか。米国も覇権をどうしても守りたいなら、米中両国は経済戦争・経済断絶・国交断絶・軍事戦争という順番に発展していくと考えられます。これは、今後の中国経済の持続的な成長に対しての最大のリスクです。

このリスクを解消するため、中国は粘り強く米国と交渉するでしょう。一方、このリスクを軽減するため、中国は世界中のあらゆる国と可能な限り、良好な両国関係を構築していきたいと考えています。経済分野では、一帯一路経済圏構想を提唱し、推進していきます。そして、強固な経済関係の構築と共に、政治交流と価値観交流も盛んに推進していくでしょう。第三部第一章では、一帯一路経済圏構想の提唱と推進について詳しく紹介していました。そして、一帯一路経済圏構想を成功させるため、中国は「不同盟」の外交原則を止め、中国式の同盟関係である「中国を中心とする平和と発展協力機構」を構築します。この構想の中の国々は、経済の一体化は勿論のこと、政治システムと価値観も尊重し合います。

第三部第二章では、米中関係について予想しました。米国が覇権を放棄することは考えられません。そうなると、中国はどうやって、米中両国の経済戦争・経済断絶・国交断絶・軍事戦争を阻止すれば良いでしょうか。阻止できる可能性があるでしょうか。米中両国の間では、未知のことが多くあります。中国は最悪のケースである米中軍事戦争に対して準備しながら、米中関係が更に悪くならないため、悪くなるスピードを遅らせるため、正しい対米戦術戦略が求められています。中国が追求する目標は、米中戦争

のリスクの解消のため、米国が自ら覇権を放棄する必要があると自覚させます。米中衝突が起きても起きなくても、米国の覇権はいつか必ず終焉するということを自覚させます。もし米中衝突が起きたら、中国は勿論不幸になりますが、米国も不幸になりますし、米国覇権の終焉も早まることを自覚させます。もしいつか米中軍事戦争に発展するのなら、中国はその時期をなるべく遅らせます。中国の経済成長率が米国より高い限り、戦争の時期が遅くなればなるほど、中国の対米戦力は強くなり、米中戦争がもたらす中国へのダメージは小さくなります。そして、もし米中経済規模が逆転するまでに、米中軍事戦争が避けられたなら、それ以降、戦争が発生するリスクは激減するかもしれません。

第三部第三章では日中関係についても予想しました。日中関係は単純な両国間関係ではなく、米中関係からの影響が大きいです。米中関係を考慮した上で、日中関係を予想しました。その最善の結果は日中共同体の実現で、最悪の結果は日中再戦争になります。近年の米中経済戦争の激化によって、日中両国の経済・政治・民間のあらゆる関係が悪化しています。互いに、相手を敵国と見なし、今後も更に悪化することが予想されます。南シナ海と台湾に対して、日本は関心を示しています。中国は今後ロシアの要請で、北方四島に経済基地を作り、更に日中関係の状況を見て、北方四島に軍事基地の設立も検討していくでしょう。日本はファーウェイ制裁を発動しましたが、中国は対抗策として、約10年後の日本の自動車産業を中国から完全に撤退させるため、技術準備と法整備を着々と進めています。中国は、2032年頃に、日本車が中国市場で１台も売れないように、準備しています。このように、

日中対抗が進み、いつか、最悪の結果である再戦争で決着がつくと予想されます。本書は日中再戦争の結果については全く予測していません。しかし、世界２位と３位の経済体が協力すれば、互いに高い利益が得られるはずです。日中共同体のメリットは十分あるはずです。日中両国はあらゆる困難を乗り越え、共同利益を発見し、日中共同体を実現することができるでしょうか。これは、今の時代から日中両国の全ての国民に出されている宿題だろうと指摘しました。

（四）

2021年に大政治家であるドイツのメルケル元首相が退任し、同じ2021年には米国の高齢のバイデン大統領が誕生しました。2022年に米国の金融政策は未曽有の緩和から引き締めに転換しなければなりません。世界中の資本が米国本土に流入しなければ、未曽有の米国危機が発生し、その後世界危機に発展するでしょう。この緊迫したタイミングで、2022年にウクライナ戦争がちょうど発生しました。米国はこの戦争の効果を検討する時間が必要ですが、もし効果が足りないとすれば、次は何が起こるでしょうか。

西側諸国はこの隙間で中国が台湾を「侵略」するかもしれないと懸念したかもしれませんが、残念ながら中国は協力しなくて、実現できませんでした。中国の本音はなるべく2032年まで我慢したいです。それで、2022年の8月2日に、米国は行動を起こし、下院議長が自ら台湾を訪問しましたが、中国は挑発に耐えて、台湾を遮断する軍事演習にとどまりました。恐らく、米国大統領が台湾に行かない限り、中国は今後もしばらく武力による台湾統一

を我慢するでしょう。

今の世界は平和ではありません。米中軍事戦争が発生するリスクも大きくなっています。もし、近い将来、米中軍事戦争が起きれば、今の米中関係もこの米中軍事戦争の一部であると考えるべきでしょう。その意味で、中国人としての私は、今既に命をかけて、米国と戦っている最中です。

米中軍事戦争での日米中の立場と行動も予想しました。

米中軍事戦争で、日本は米軍に米一粒も提供しない完全な中立か、中国と完全戦争するか、この二択から選択しなければなりません。中国は、日米双方と戦争する事を予想しつつ、日米共同体の分離を働きかけます。米国は米国本土が戦場にならないために、中国本土への攻撃をしないでしょうか。

日米中新三国志は今後どのような展開になるでしょうか。恐らく、米中軍事戦争の展開は誰も正確に予想できないでしょう。

戦争は、何のために起こるのでしょうか？

無限な時間と空間の中の宇宙に一粒の塵のような地球が永遠そうに動いています。この地球には、1日約3回の食事と1つのベッドを必要とし、何十年かの寿命を持ち、最後に必ず死を迎える人類がいます。その小さな人類は美しい地球を1つしか持っていません。一方、人類は民族・人種・国家・宗教・資本主義・共産主義・自由・民主・人権・音楽・文字・芸術・科学などを発明し、そしてこれらの全てを戦争のきっかけに使います。人類が消滅しない限り、戦争も永続的に存在するのでしょうか。人類にとって、いつの時代も正義というものは存在しません。正義なき世界が永遠に存在する必要はあるのでしょうか。

最後に、日本人の読者に伝えます。本書の著者の客観的なデータと主観的な観点について、納得できないところがあり、更に怒りを感じるところもあると承知しますが、これは著者の私が中国人であることと、日中関係の現実によるものです。私たちは楽しく豊かな人生のため、人に苦痛や偏見、怒りなどを与える現実と政治に対して、本来、深く考えない方が良いでしょう。コントロールされている身の回りのフェイクニュースを信じ、周りの家族や友人、同僚などと同じ考えをし、より楽な生活を送る事ができるはずだったでしょう。

しかし、本書の読者に対しては、納得できないところや苦痛、怒りなどを感じながら、厳しい日中関係を一緒に「実事求是」の精神で独立思考してほしいと希望しています。この努力で、もしかすると、私たちの摩擦と矛盾をコントロールする事ができるかもしれません。更にいうと、いつか平和的に解決できるかもしれないと楽観的な希望も持ちたいと思います。

『論語・子路編』が伝えています。「君子は和して同ぜず、小人は同じて和せず」

一中国国民の私は、本書で、客観的なデータと主観的な考えを提示し、安易な同調を求めず、平和的な交流を目指しています。

日中両国の将来のいかなる道も、必ず私たち日中両国の国民の自らの手で作っていくので、この時代に生きている私たちの責任は重大です。

〈著者紹介〉
楊　道金（よう どうきん）
1979 年、中国福建省生まれ。
2002 年、中国天津科技大学卒業。
2008 年、名古屋大学大学院工学研究科中退。
2013 年、千葉商科大学大学院経済学研究科卒業。
嘘が満ちる世界に対し、真実を求めるため、経済・政治・歴史・科学技術・宗教・文化など幅広い分野について、探求し続けています。最終的に、自身にとって実現不能な「真の自由」を実現しようと目指しています。

実《じつ》事《じ》求《きゅう》是《ぜ》

2023年12月15日　第1刷発行

著　者　　楊 道金
発行人　　久保田貴幸

発行元　　株式会社 幻冬舎メディアコンサルティング
〒151-0051　東京都渋谷区千駄ヶ谷4-9-7
電話　03-5411-6440（編集）

発売元　　株式会社 幻冬舎
〒151-0051　東京都渋谷区千駄ヶ谷4-9-7
電話　03-5411-6222（営業）

印刷・製本　中央精版印刷株式会社
装　丁　　村上次郎

検印廃止

Printed in Japan
ISBN 978-4-344-94302-5 C0030
幻冬舎メディアコンサルティングＨＰ
https://www.gentosha-mc.com/